collection 4 couleurs

Voici la collection « 4 COULEURS »

Des œuvres romanesques dont la qualité révèle les sentiments humains dans toute la force de leur expression.

Elle vous entraînera dans un univers où se mêlent l'amour et l'indifférence, l'étrange et le réel, des existences et des paysages que vous aurez peut-être un jour le bonheur de connaître.

En compagnie de héros dont les aventures ne cesseront de vous captiver, vous découvrirez les passions qui peuvent habiter l'âme humaine, dans un cadre chaque fois nouveau qui sera pour vous une halte salutaire dans votre vie quotidienne.

Dans un monde où nous côtoyons tous les jours l'âpreté et la violence, « 4 COULEURS » vous prouvera que la vie conserve un aspect heureux, et vous aidera à mieux le découvrir.

Séduisants par leur prix et par leur présentation, pratiques par leur format, les romans « 4 COULEURS » trouveront aussi bien leur place dans votre poche que dans votre bibliothèque.

TORNADES

HÉLÈNE SIMART

TORNADES

LIBRAIRIE JULES TALLANDIER
17, rue Remy-Dumoncel, PARIS (XIVe)

PREMIÈRE PARTIE

CHAPITRE PREMIER

— Écoute, Maria, sois chic. Demande au patron...

La jeune fille sourit au grand garçon brun, décoiffé, en pull-over et « jean » collant, qui prenait en cet instant une expression gentille qu'il supposait irrésistible.

— Le patron n'aime pas beaucoup ça, tu sais. Avec les marchandes de fleurs et les mendiants...

— Si tu plaides ma cause... En ce moment, les fonds sont plutôt bas. Avec quoi je te paierais un verre?

— Attends une minute.

Il la regarda s'éloigner, longue et mince dans la robe de lainage vif qui n'était même pas un uniforme. Boule d'or accrochée à sa tige, un lourd chignon ornait la nuque, sans la ployer. En toutes circonstances, Maria restait droite, avec un air d'orgueil que ne parvenaient pas toujours à adoucir le sourire de commande et la pureté des traits. Des sourcils dorés abritaient des prunelles d'un bleu limpide, saphirs sans défauts à la froideur de gemme. Son teint de vraie blonde était lisse et ambré. Ses lèvres fines et nacrées. De son père, elle tenait ce profil légèrement aquilin, à l'arête délicate, qui contribuait à lui donner un air aristocratique.

De loin, Patrick la vit parlementer avec le directeur de l'établissement, un restaurant proche des Champs-Élysées.

Quand elle revint vers lui, il savait déjà que sa cause était gagnée. Joyeusement, il fit claquer ses doigts.

— Merci, Maria! Je te revaudrai ça! Ce soir, je me sens dans une forme éblouissante! Un vrai petit Modigliani! A tout à l'heure. Attends-moi à la sortie, je te raccompagnerai.

Elle lui octroya un haussement d'épaules indulgent et, sans plus s'occuper de lui, s'avança vers les nouveaux clients qui venaient d'arriver.

— Nous avons réservé une table, mademoiselle...

— A quel nom, s'il vous plaît?

Reprise par le rythme habituel du travail, Maria retroussait ses lèvres sur un sourire qui n'atteignait pas ses yeux, pilotait adroitement le couple parmi les dîneurs, appelait d'un geste discret le maître d'hôtel pour la commande.

— Dites-moi, mademoiselle... Si l'on m'appelle au téléphone...

Elle prenait note, aimable sans servilité, avec un vernis de sollicitude qui masquait sa parfaite indifférence.

La rumeur légère des conversations, mêlée à la musique douce, formait l'ambiance habituelle de ce genre d'établissement. Les classiques petites lampes individuelles, sur les tables, vaporisaient une lumière tamisée, un peu comme celle des bougies, pour embellir les femmes sous les regards masculins.

La clientèle était surtout composée d'hommes d'affaires, de couples d'un certain âge, venus souper après le spectacle. Peu de jeunes. Maria était hôtesse d'accueil depuis un an, après avoir été mannequin. Elle avait également posé pour des couvertures de magazines. Ni l'un ni l'autre de ces métiers ne lui convenaient.

Ici au moins utilisait-elle, outre sa beauté, sa connaissance parfaite de plusieurs langues étrangères. Peut-être aussi, par une de ces étranges contradictions de l'âme, son orgueil y trouvait-il davantage son compte. Paradoxalement, un cœur fier peut se sentir grandi en s'astreignant à certaines servitudes. Un pourboire amenait sur ses lèvres un curieux sourire. Personne, pas même Patrick, son meilleur ami, le seul peut-être, ne pouvait deviner ces douloureuses contractions intérieures qui l'agitaient sans cesse.

Elle tourna la tête, aperçut le jeune homme, un crayon à la main, « croquant » une femme brune, d'une cinquantaine d'années, en robe du soir.

Une petite gaieté monta en elle. Patrick s'appliquerait à corriger les défauts, à estomper les rides naissantes, à atténuer les griffures de l'âge. La cliente serait enchantée et son compagnon généreux.

Un garçon un peu farfelu, ce Patrick. Bourré de talent, impulsif, « tête en l'air », mais si bon camarade. Il faisait « art-déco », payait ses études en pratiquant divers petits métiers qui n'en sont pas vraiment. Souvent, comme ce soir, il dessinait des visages dans les restaurants chics.

« Certainement pas un Modigliani » pensa Maria, distraite un instant.

Son dessin terminé, Patrick le présenta à la cliente avec un sourire enjôleur qui accusait le côté asiatique de ses traits.

Yeux noirs bridés, frange raide et brune descendant sur le haut front cuivré.

« Séducteur! » pensa encore la jeune fille, en voyant la cliente prendre une expression de ravissement.

Elle le vit glisser l'argent dans sa poche, puis se diriger vers une autre table, après avoir souri à Maria par-dessus la tête des dîneurs. Puis, ils ne s'occupèrent plus l'un de l'autre.

Peu à peu, la clientèle se raréfiait. La lumière se voilait et la musique s'était tue. C'est à ce moment-là, chaque soir, que Maria sentait sa lassitude. Une soif d'être ailleurs. Dehors, elle retrouverait le froid brumeux de ce mois de novembre qui n'en finissait pas. Mais elle respirerait l'air glacé comme un champagne. Bientôt une heure... L'heure de la liberté...

Avec un soupir d'aise, elle troqua ses hauts talons contre de pratiques chaussures de sport, donna une pichenette à sa coiffure, s'enroula jusqu'au menton dans un imperméable doublé de fourrure synthétique. Le vestiaire des employés sentait la fumée froide.

Un dernier adieu sec à ses collègues, avec lesquels elle ne sympathisait pas.

— Bonsoir !

Comme convenu, Patrick l'attendait au volant de la 2 CV d'occasion dont il avait lui-même repeint la carrosserie. Un jaune orangé, avec de petits motifs noirs, pareils à des caractères chinois.

— Dépêche-toi, je suis en infraction. Pas le moment de chiper une contredanse, sans parler d'un rhume ! Il fait joliment froid.

Elle s'installa à son côté et la voiture démarra, avec un hoquet prometteur.

— Une calèche qui n'ira jamais jusqu'aux vacances, gémit le conducteur. Pourvu qu'elle tienne le coup !

La 2 CV remonta lentement l'avenue lumineuse, qui butait sur l'Arc de triomphe. Maria habitait un studio dans un immeuble ancien, rue Pierre-Demours. Ils y furent bientôt.

— Tu m'offres un verre ?

— Si tu veux ; mais je te préviens, je n'ai pas d'alcool. Du jus de fruit et de la bière seulement.

— Ce n'est pas pour le godet, mais pour ta charmante compagnie. Ce soir, je me sens légèrement cafardeux.

— Des ennuis ?

— Sans motif, ce qui est plus grave.

Elle sourit sans le croire. Patrick était l'optimisme personnifié.

L'un derrière l'autre, ils gravirent les cinq étages. Par jeu, Patrick faisait sonner ses talons sur les marches dépourvues de tapis.

— Chut! fais donc attention, les gens dorment! dit-elle un doigt sur la bouche.

— Pardon, baronne, j'avais oublié que c'était une maison bourgeoise!

Elle chercha ses clefs dans son sac bandoulière, ouvrit, le précéda dans la minuscule entrée.

— Installe-toi. Le temps de brancher le radiateur et je dévalise le réfrigérateur en ton honneur.

Elle accrocha à la volée son manteau à une patère et se dirigea vers la kitchenette.

Le garçon se laissa tomber sur l'un des deux sièges qui garnissaient la pièce de part et d'autre d'une table basse. Puis, à la manière du discobole, il lança son carton à dessin en direction du divan. Dans une attitude béate, les jambes allongées vers le radiateur électrique, il attendit, les yeux mi-clos.

Quelques secondes plus tard, Maria revenait, les mains encombrées.

— Tout mon ravitaillement, annonça-t-elle en déposant deux bouteilles entamées sur la table.

— C'est maigre, mais on saura s'en contenter. Qu'est-ce que tu veux? jus d'orange? bière?

— Je n'ai pas soif.

— Moi non plus...

Elle le regarda en souriant.

— Quel garçon compliqué tu fais.

— Moi? s'étonna-t-il en levant un sourcil. Il n'y a pas plus simple, au contraire! Je suis une nature d'élite qui s'accommode de tout. Réclame non payée. Tu es libre de ne pas partager cette opinion.

— Tu es un bon copain, accorda-t-elle en portant distraitement un verre à ses lèvres.

L'espace d'un instant, la figure joyeuse du garçon se nuança de gravité.

— Toi aussi, Maria. Ce qui m'étonne...

— Qu'est-ce qui t'étonne?

— C'est que tu ne flirtes pas, avoua-t-il carrément.
Pas normal, à ton âge et avec cette tête-là !

Une lueur dure traversa le regard bleu.

— Cela me regarde.

— Remarque que je trouve ça plutôt méritoire. Mais,
je te le répète, ce n'est pas normal. Et crois bien que je
ne prêche pas pour mon saint, on est trop copains tous
les deux.

Il baissa la tête pour fuir son regard, questionna
d'une voix volontairement insouciante, d'un ton que
prennent les jeunes pour parler d'une chose sérieuse, par
une pudeur qui n'est autre qu'un réflexe de défense.

— Tu te gardes peut-être pour le grand amour ?
Démodé, mais valable.

— Le grand amour... répéta Maria, d'un air de
rancune glacée. Non, je n'en veux pas ! Il rend trop
malheureux !

Le souvenir de sa mère lui inspirait toujours un
violent sentiment de révolte. Le bref roman maternel
l'avait marquée.

L'amour... N'était-ce pas ce qu'elle avait choisi,
autrefois, cette mère trop tôt disparue ? Résultat : une
vie médiocre, pour ne pas dire misérable, après la mort
de son mari. Une famille hautaine, qui l'avait repoussée,
n'acceptait pas l'enfant née d'une mésalliance.

Une de Launay, cette petite secrétaire ? On lui avait
même reproché la mort prématurée du père, survenue
quelques mois après la naissance de la fillette. Jacques
de Launay s'était tué en voiture, un soir d'hiver, en
revenant d'une tournée de province.

Non, l'enfant née de cette union n'était pas de leur
sang ! On l'avait reniée. Seul héritage, pour Maria, cette
particule qu'elle supprimait souvent, dans la vie cou-
rante, en un réflexe d'orgueil blessé. Cette enfance
l'avait profondément traumatisée.

— Ma mère est morte de chagrin, dit-elle lentement,

les yeux obscurcis de souvenirs. Elle était pauvre et nul ne l'a aidée.

Certes, Patrick connaissait l'histoire. Mais il fut frappé de cette expression de détresse, teintée de haine, qui durcissait le beau visage. L'attitude de Maria l'effrayait un peu.

— Que te faudrait-il donc pour être heureuse? murmura-t-il. Le sais-tu seulement?

— Parfaitement, je le sais.

— Eh bien! dis-le! explosa-t-il. Pourquoi faire plus longtemps ta mystérieuse! Éclaire-moi sur ton idéal. On va voir si on possède ça dans nos tiroirs. Que désires-tu?

Sèche et rapide, la réponse claqua :

— L'argent!

Le visage expressif du garçon s'ennuagea d'incrédulité.

— A vingt-trois ans, raisonner de cette façon! Mais l'argent ne compte pas! D'abord, on n'en a que lorsqu'on est vieux.

Agacée, elle haussa les épaules.

— Tu devrais pourtant connaître son importance, toi qui n'as pas toujours de quoi t'acheter un sandwich ou une paire de chaussures. Et quand tu traînes partout pour placer tes dessins?

— Le fric ne rend pas heureux, bougonna le garçon. Moi, j'aime la bohème.

— A ta guise. Tu possèdes un caractère insouciant. Mais moi, je sais ce que je veux! Le contraire de ma mère, exactement! Il n'y a pas d'amour heureux! Comme dans la chanson! La seule chose qui compte pour moi, c'est la fortune. Et tu me fais rire avec ta vieillesse! C'est quand on est jeune qu'il faut être riche. Pour profiter de tous les plaisirs!

Jamais elle n'avait parlé aussi longtemps, ni sur ce ton de violence passionnée. Le fard léger de la colère avivait ses joues. Graves et bleus, ses yeux étincelaient.

En artiste, Patrick admirait cette beauté presque

parfaite, très pure, un peu froide, que l'exaltation et l'or riche de la chevelure réchauffaient.

— Eh bien! ma vieille, on peut dire que quand tu t'expliques, tu mets les points sur les « i »! Je n'aurais jamais cru cela de ta part!

— Me prenais-tu pour une sainte, ou pour une oie blanche? A chacun ses ambitions.

— Oui, oui, oui, murmura-t-il en pianotant sur la table en glace. C'est bien joli tout ça, c'est bien bon de savoir ce qu'on désire, mais ce n'est pas tout. Comment comptes-tu t'y prendre pour atteindre ton but? Le gros lot à la loterie nationale, utopique. Un hold-up peut-être? A part ça, je ne vois vraiment pas...

— Mais moi je vois, c'est l'essentiel.

Une pause, qu'elle employa à allumer une cigarette. D'un geste, elle écarta le voile de fumée qui s'élevait entre eux.

— Tu m'as accordé tout à l'heure un brevet de beauté. On doit toujours se servir des armes que la nature vous a données.

Il sursauta.

— Mais, ma parole, c'est du cynisme!

— Non, c'est logique. Pour moi, c'est le seul moyen. J'ai beaucoup réfléchi à la question. Je veux épouser un homme très riche. C'est pour cela que je me garde.

Un petit silence. Pensivement, le garçon étudiait les nuances du beau visage, pour discerner la part de vérité dans cette décision. Soudain, il éclata de rire.

— Au fond, je suis un idiot! Tu n'as pas tellement tort. Après tout, si tu crois pouvoir être heureuse comme ça, chacun dirige son destin comme il l'entend. Mais me permets-tu de jouer les empêcheurs de danser en rond?

— J'adore les controverses, dit-elle en se renversant un peu sur son siège pour suivre des yeux le lent ballet de la fumée.

— Ton millionnaire... pardon, ton milliardaire, parce

que de nos jours, il faut bien ça, hein? Tant qu'à faire...
Je disais donc, ton milliardaire, en anciens francs
naturellement, il ne faut tout de même pas exagérer, où
donc le pêcheras-tu?

— S'il n'en existe qu'un...

— Tu prendras celui-là... Oui, j'arrange mes classiques pour la circonstance. D'accord, tu es belle. C'est
indéniable. Je dirais même, si tu permets, d'une beauté
distinguée, qui sort de l'ordinaire. Ça, c'est le bilan
positif.

Il fit claquer ses doigts.

— Mais il y a de la concurrence, ma vieille! Les
hommes riches n'ont que l'embarras du choix! Et puis...

Il souffla sur ses doigts, qu'il avait trop approchés du
radiateur.

— Et puis, sans vouloir te décourager, ils ont souvent
le genre « vieux bonze »!

— Je saurai m'en contenter. C'est tout, comme
objections?

— Non, ironisa-t-il. Il y a un « enfin ». Comment le
rencontrer, ce merle blanc, si tant est qu'il existe? Si tu
te fies uniquement au hasard, tu as le temps d'attraper
des cheveux blancs et, ce jour-là, il sera trop tard.

— On peut aider le hasard.

Un autre silence. Marie remplit les verres vides.

Soudain, Patrick poussa une bruyante exclamation.

— Qu'est-ce que tu as?

— Rien, ne bouge pas, reste comme tu es, la main sur
la bouteille de bière! Le destin a parlé!

Interdite, elle l'interrogeait du regard, hésitant à rire
ou à se fâcher. Avec ce diable de garçon, on pouvait
s'attendre à tout. C'était quand même un bon copain,
malgré ses déconcertantes sautes d'humeur. Impossible
de se fâcher devant sa vitalité, son charme de grand
gosse désinvolte et rieur.

— Tu devrais épouser Thomas Russel! dit-il tout à
trac.

Étonnée, elle fronça les sourcils.

— Qui est-ce?

— Regarde, dit-il simplement en désignant sa main.

Elle suivit la direction de son regard.

— Regarder quoi?

— Le nom qui est inscrit sur cette bouteille, juste à l'endroit de ton pouce.

Machinalement, elle posa l'objet sur la table, déchiffra à haute voix : Russel.

— Alors? Je ne saisis toujours pas le rapport.

En signe de condescendance, il leva les yeux au plafond, poussant un long soupir.

— ... Thomas Russel, récita-t-il d'un ton monocorde. Président-directeur général d'une bonne douzaine de sociétés, administrateur de compagnies pétrolifères. Patron de plusieurs usines. Les chaussures Russel... La bière Russel... Les avions Russel... Les produits Russel...

Son visage mobile s'était figé en une mimique respectueuse. S'animant, il poursuivit :

— ... et des tas d'autres trucs qui portent le sceau de Russel! Ce type-là ne connaît pas sa fortune! Le genre Onassis, version française. L'inconvénient, c'est qu'il doit être assiégé. Une citadelle imprenable. Il doit jouer les hommes invisibles, ce gars-là!

Patrick avait parlé plus par boutade que sérieusement, son attention ayant été attirée par le nom sur l'étiquette. Aussi fut-il surpris de la brève question de Maria, qui marquait son intérêt.

— Marié?

— Sais pas.

— Renseigne-toi.

— Tu plaisantes ou quoi?

— Je suis très sérieuse.

Au son de cette voix, à la petite flamme qui dansait au fond des prunelles, il comprit en effet qu'elle était accrochée par l'histoire. Une fiévreuse espérance s'était emparée d'elle.

— J'avais parlé comme ça... murmura le garçon.

— Tu as très bien fait. Que sais-tu encore de ce Russel?

Rendu prudent par son amitié vraie, peu désireux de la voir s'acharner sur un rêve impossible, il ergota :

— Tu t'emballes, tu t'emballes... Reste sur terre, Maria! J'ai parlé sans réfléchir.

— Alors, tu as eu tort. Connais-tu son âge au moins?

— Non, grogna-t-il.

— Allons, mon petit Pat, n'y mets pas de mauvaise volonté. Tiens, je t'inviterai à mon mariage, pour la peine!

Désarmé, prompt à s'égayer, toujours enclin à voir le côté amusant des choses, il prit le parti de rire, d'entrer dans le jeu.

— O.K. J'y compte bien! Pour la première fois, tu pourras m'admirer en homme du monde, avec queue de pie et gants blancs! Car je présume que l'habit sera de rigueur?

Mais elle refusait la blague, revenait à son idée :

— Je t'ai demandé si tu connaissais son âge. Approximativement?

Il remua les épaules.

— Mmmmmm... Il ne doit plus être de la première jeunesse, avec son pedigree, mais je présume qu'il doit encore être comestible. La quarantaine peut-être?

Il allongea de nouveau ses jambes.

— J'ai lu par hasard un article sur lui, sous le titre : « Jeunes lions des affaires ». Pas mal, hein, le jeune lion? Le tout est de savoir à quel âge un lion est adulte.

— Tu es incorrigible. Parle moins. Cet article, sur quel journal?

— *Match,* je crois.

— Tu me l'apporteras.

— Si je le retrouve.

— Tu le chercheras. Maintenant, mon petit Pat, à nous deux!

— Comment, à nous deux?

Elle l'enveloppait d'un regard brillant. Jamais il ne l'avait vue dans un tel état. D'habitude, elle était plutôt indifférente, un peu renfermée.

— Ne peut-on remettre cette petite conversation à plus tard?

— Non. Chaque minute qui passe est du temps perdu.

Moqueur, il soutint son regard.

— Tu n'as quand même pas la prétention qu'il t'a attendue?

— Hélas non. D'ailleurs, il n'est peut-être pas libre. C'est ce qu'il faut savoir en premier lieu. Je compte sur toi.

— Mais pour quoi faire? s'effara-t-il.

— Pour me fournir des renseignements complémentaires sur ce Russel!

— Je ne suis pas policier. Adresse-toi à un privé.

— Mais tu connais un journaliste. Ne proteste pas, tu m'en parles tout le temps. Et un journaliste, c'est au courant de tout. Demain, tu te mets en chasse et tu m'apportes une biographie détaillée.

— Comme tu y vas, faiblit-il. Demain, j'ai des cours.

— Un coup de téléphone à donner, ce n'est pas long. Et puis tant pis pour toi! Tu n'avais qu'à tenir ta langue.

— Si j'avais su, fit-il piteusement.

Les cigarettes achevaient de mourir dans le cendrier. La nuit d'hiver plaquait son empreinte humide sur la vitre. Le léger bourdonnement du radiateur berçait les pensées des deux jeunes gens.

— Où veux-tu en venir, très exactement? demanda Patrick, revenu à ses premières inquiétudes. Ayons les pieds sur terre.

— Je veux le rencontrer.

CHAPITRE II

— Alors?

Ce fut le premier mot de Maria, dès qu'ils se retrouvèrent seuls le lendemain soir.

Toute la journée, cette histoire l'avait préoccupée. Pendant le trajet en voiture, elle n'avait pas desserré les lèvres. Son impatience, la contrainte qu'elle s'était imposée, se révélaient dans cette brève question, prononcée d'un ton âpre.

— Alors laisse-moi souffler, répliqua le jeune homme, soucieux de ménager ses effets. Cinq étages, c'est duraille à récupérer!

Elle faillit s'emporter, se domina à grand-peine et parvint à sourire.

— Comme tu veux. Je ne suis pas pressée.

— J'ai des tuyaux, daigna-t-il avouer d'un ton mystérieux.

— Intéressants?

— Tu vas en juger...

Il pirouetta, se jucha sur l'accoudoir du fauteuil et sortit un papier de sa poche.

— Prête?

— J'écoute.

Sur le ton d'un commissaire-priseur énonçant une longue liste d'objets, il commença :

— Russel Thomas. Trente-six ans. Pas si vieux que ça, hein?

— Pas de commentaires. Continue.

— Habite un appartement rue Octave-Feuillet, dans le seizième. Résidences secondaires : villa sur la Côte, chalet à Megève, et tout et tout... Des bureaux aux Champs-Élysées. Avenue Marceau. Réputation de dureté en affaires. Un peu vieux jeu sur les bords, dit-on. Extrêmement difficile à contacter. Ne se prête pas à la publicité, fuit les photographes comme la peste. Jusque-là, pas très engageant, mais je garde le meilleur pour la fin.

Patrick leva les yeux. Maria n'avait pas bougé.

— Intriguée, hein? Je te le dis, car je ne veux pas te faire attraper une jaunisse. Libre, ma vieille! Un cœur à prendre!

— Célibataire?

— Non, veuf. Au fond, c'est mieux que vieux garçon. A son âge!

— Son ancienne femme?

— Tu es insatiable! Remarque que je pourrais mesurer mes effets, mais j'ai prévu ta curiosité. J'ai aussi des tuyaux sur elle. C'était une actrice. Très belle, paraît-il.

— Divorcée?

— Pourquoi veux-tu qu'elle soit divorcée? Tu ne me suis pas. Je t'ai dit qu'il était veuf! Elle est morte à la suite d'un accident. Oui, elle est tombée d'un balcon, un soir d'été. Ça fait romantique. A l'époque, la presse a monté l'affaire en épingle. J'ai longuement potassé les journaux, grâce à mon copain. Tu vois jusqu'où va mon dévouement! Certains adversaires de Russel ont prétendu qu'il n'était pas étranger à ce drame. Car il était fort jaloux de sa femme, qui n'était d'ailleurs pas un prix de vertu.

Patrick leva comiquement les yeux au ciel.

— Quelle existence tu te prépares, ma pauvre petite, avec un pareil Othello! Mais je continue. On dirait un vrai roman-feuilleton, cette histoire. Tu me suis toujours?

— Mais oui, va donc! Après?

— Eh bien! après, on a étouffé l'affaire. Ces gens-là ont le bras long. Le temps a fait le reste.

Patrick prit une posture de yoga, jambes repliées, bras croisés.

Ses yeux n'étaient plus qu'un galon de jais luisant. La frange noire mangeait ses sourcils. Il respirait la joie de vivre et l'insouciance. Cette affaire commençait à l'amuser.

Un doit posé sur la joue, Maria réfléchissait.

— A ton avis, l'aimait-il?

— Sa femme? Mais naturellement, voyons! Pourquoi l'aurait-il épousée? Même s'il l'avait jetée par la fenêtre, c'était encore une preuve d'amour! La passion avec un grand « P »!

— Ne commence pas à ironiser, je parle sérieusement. As-tu des indications qui te permettent d'affirmer qu'il l'aimait?

Un instant, le visage du jeune homme devint grave. A dents aiguës, il tira sur une petite peau d'un doigt, qui se mit à saigner.

— Elle lui a laissé un ineffaçable souvenir, dit-il enfin.

— Je te dispense de tes appréciations personnelles!

— Ce n'est pas moi qui le dis, mais la presse.

— La presse déforme, invente et exagère tout!

En dépliant ses jambes, il faillit perdre l'équilibre, dans sa position instable, se rattrapa de justesse.

— Je ne crois pas qu'on ait inventé ce souvenir-là, dit-il avec une lenteur calculée.

Le mot prit tout son relief, prononcé isolément :

— ... un enfant.

Elle sursauta, se reprit en murmurant comme pour elle-même :

— Ce n'est pas un obstacle...

Sans paraître l'avoir entendue, il poursuivit :

— Une petite fille de sept ans, qu'il fait élever par une femme de confiance. Il paraît qu'elle ressemble trait pour trait à sa mère.

— C'est tout ?

— Tu es insatiable ! Oui, cette fois, j'ai vidé mon sac. Ah ! si, un détail qui va te décevoir : Russel s'est taillé une solide réputation de sauvagerie. Notamment, on ne le voit jamais avec une femme, sauf sa secrétaire. Aucune liaison affichée. Pas trop déçue ?

— Excellente nouvelle, au contraire. Un coureur ne risque pas de s'attacher. Ta fameuse forteresse n'est pas assiégée, elle est simplement difficile à prendre.

Une lueur admirative passa dans les yeux de Patrick.

— Toi, alors, quand tu veux quelque chose... Quand on pousse le cynisme à ce point, ça devient du grand art ! Chapeau ! Tu dois avoir des stratèges parmi tes ancêtres !

— Certainement, approuva-t-elle avec amertume. Tu peux ajouter des amiraux et des évêques.

Il questionna avec enjouement :

— Alors ? Contente du détective privé ?

— Très contente, Pat. Tu es très gentil. Mais ce n'est pas suffisant. Il me faudrait des détails supplémentaires sur le personnage. Ses goûts, ses habitudes...

— Pour les trucs personnels, c'est plus difficile. C'est un renfermé, ce type-là. Les journalistes brodent. Et puis qu'entends-tu par habitudes ?

— Les endroits qu'il fréquente, les déplacements qu'il envisage, les gens qu'il rencontre. Les heures auxquelles on est susceptible de l'apercevoir...

— C'est un travail de dentelle que tu me demandes là ! Entendu, je plaque les arts déco pour me consacrer aux filatures en tous genres. Car tu persistes à vouloir le rencontrer ?

— Tu es stupide de me poser cette question, mon

pauvre Patrick! Pourquoi t'aurais-je donné tant de mal pour obtenir ces renseignements?

— Je voulais seulement te donner un dernier avertissement avant que tu te lances tête baissée dans cette aventure.

— Tu es bête. Je ne risque qu'un échec.

— Ou une désillusion. Si tu veux mon avis...

— Dis-le toujours, dit-elle en étouffant un bâillement.

— On ne doit pas fausser les cartes au départ. Cela s'appelle tricher. Tu devrais attendre...

— Mais tu as une mentalité de chèvre attachée à son piquet! Tu me déçois, Pat.

Pressé d'en finir avec une conversation qui commençait à lui peser, le garçon conclut :

— En tout cas, tu auras du mal à le contacter. Avec son style bonnet de nuit, ce n'est pas à un « cokétèle » que tu feras sa connaissance; et il faut convenir que ce genre d'endroit facilite les relations.

— C'est vrai. Tu n'as pas une idée?

— Des milliers, en général, aucune pour ce cas épineux.

Résolu à parler d'autre chose, le garçon fit mine de s'intéresser à une revue posée sur la table. Une voix suppliante le tira de sa lecture :

— Aide-moi, Pat.

Comment résister? Résigné, il abandonna la revue.

— Je ne demande pas mieux, ma vieille, je suis plein de bonne volonté à ton égard, mais comment? Attends un peu que je cogite...

Repris par ce qu'il considérait encore comme un jeu passager, il chercha. Au bout d'un instant, il suggéra :

— Si tu te faisais engager comme secrétaire?

Elle lui lança un regard de reproche.

— Après le portrait que tu m'as brossé de lui? Mais c'est un homme qui ne doit même pas s'apercevoir que sa secrétaire est une femme! En dictant son courrier, il

croit s'adresser à un robot! Et puis c'est bien aléatoire.
Une chance sur mille.

— Finement raisonné. Éliminons le secrétariat. Tu
as une autre idée?

— Peut-être... Donne-moi l'adresse exacte de ses
bureaux. Ça peut toujours servir.

Il fouilla dans sa poche.

— Tiens, voilà, je l'ai notée. Mais il n'y va pas tous
les jours, en tout cas pas à heures régulières. Une brève
apparition de temps en temps, sans doute pour signer
des chèques. Il doit avoir la crampe de l'écrivain, cet
homme!

Elle daigna sourire et, une fois de plus, en artiste, il
admira la ciselure délicate des traits, le bleu rare des
yeux, aux striures marines, à peine visibles dans la
lumière, l'éclat nacré des dents courtes.

Sur la nuque blonde, harmonieusement courbée par
la méditation, se groupait l'or vivant de l'épaisse
chevelure que la lumière électrique criblait d'étincelles
rousses.

Après tout, son rêve n'était pas si insensé... Il évaluait
ses chances. Elle avait la beauté. Russel possédait
l'argent. Un troc qui en valait un autre. Un pacte
équilibré. Un marché où nul ne serait dupe. Où était la
tricherie?

Les rois épousent toujours les bergères, quand elles
ressemblent à Maria...

Elle surprit l'examen attentif dont elle était l'objet.

— A quoi penses-tu, Pat?

— A toi, dit-il en sautant à pieds joints de son
fauteuil. Sais-tu que tu es un drôle de phénomène, dans
ton genre?

— Est-ce un compliment?

— Mieux : un hommage à ta beauté et à ton
intelligence.

Elle sourit.

— Tu n'as pas un service à me demander, à ton tour, par hasard? Veux-tu que je te prête de l'argent?

Il la regarda avec un air offusqué.

— Tu me prends pour qui? Belle mentalité! Mes services sont gratuits, ma très chère! Enfin, presque.

Il s'approcha, lui passa un bras câlin autour du cou.

— Ma récompense? implora-t-il.

Elle effleura sa joue d'un baiser rapide.

— Estime-toi royalement payé.

— Tu veux que je te rende la monnaie?

— Allons, va te coucher. Maintenant, j'ai sommeil.

CHAPITRE III

Le patron de *Nuit et Jour* était un homme affable et relativement effacé, mais la nature l'avait doté d'une corpulence et d'un masque d'empereur romain qui en imposaient à son personnel. Son établissement ne désemplissait pas. Le service était parfait, le décor agréable, dans son classicisme.

Chaque jour il se félicitait d'avoir engagé Maria comme hôtesse d'accueil. Avec elle, il avait eu la main heureuse. Certes, les jolies filles ne manquaient pas, mais Maria avait quelque chose de plus. Une distinction, une certaine réserve, bref, cette indispensable classe qui rehausse le standing d'une maison.

Une allure, un port de tête... oui, une fille parfaitement élevée, pleine de tact envers la clientèle. Comme l'emploi l'exigeait, elle parlait correctement plusieurs langues, se pliait sans difficulté à la légère discipline imposée, toujours nette, ponctuelle, le geste aisé, la parole qui convenait, maquillée avec discrétion...

Un peu distante, peut-être, mais bah! cela la changeait agréablement de ces filles écervelées ou provocantes qui l'avaient précédée.

De loin, il suivit d'un regard satisfait la belle chevelure dont l'or s'exaltait sous la douce pluie des lumières. Une coiffure qui fait partie de l'uniforme, ce

chignon qui ramenait la masse des cheveux en arrière,
dégageant le visage, l'offrant comme un joyau, dans
toute son intransigeante pureté.

La robe de lainage vert uni soulignait les formes
parfaites. Une fois de plus, il admira la démarche
harmonieuse et cette espèce de clarté qu'elle dégageait.

Le restaurant commençait à se remplir. Il était huit
heures. La plupart des tables s'ornaient d'un petit
carton indiquant la réservation.

La standardiste s'approcha du patron, lui murmura
quelques mots à l'oreille et il se précipita vers le
téléphone.

D'un air respectueux, comme si son correspondant
pouvait le voir, il écoutait en approuvant par de petits
hochements de tête.

— Parfaitement. Nous vous attendons...

Avec un sourire il raccrocha, parcourut la salle d'un
œil critique, à la recherche du meilleur emplacement,
puis, apercevant Maria qui parlementait avec un Américain qui semblait ne pas comprendre, il se dirigea vers
elle.

— Maria, une seconde...

Découragé, l'Américain s'éloigna.

— Dites-moi, mon petit, bloquez immédiatement une
table pour quatre personnes. Un emplacement discret,
qui permet la conversation. Dans un box.

Après avoir consulté un carnet, Maria secoua négativement la tête.

— Impossible, monsieur. Elles sont toutes réservées.

— Pas question, débrouillez-vous. Ils arrivent dans
dix minutes. Tenez, cette table, là-bas, convient parfaitement.

— Mais elle n'est pas libre, monsieur. Je regrette
vivement...

Indécis, il se caressa le menton.

— Écoutez, Maria, soyez gentille, arrangez ça. Vous
expliquerez à ce client qu'il est beaucoup mieux ailleurs,

qu'ici il aura un courant d'air, je compte sur votre finesse, votre habileté, pour le convaincre.

— Entendu, monsieur. Je vais faire tout mon possible.

Bien qu'il n'eût aucun compte à lui rendre, il expliqua d'une voix rapide et un peu gênée :

— Vous comprenez... J'aimerais mieux perdre la moitié de mes clients que de mécontenter celui-là! Je veux un service impeccable, de façon à ce qu'il se plaise chez nous et revienne. C'est un personnage important, mais insaisissable, qu'on voit rarement dans les endroits publics. Allez faire le changement, ma petite Maria...

— Quel nom dois-je mettre?

Le nom l'atteignit comme un coup :

— Russel.

— Thomas Russel, l'industriel? questionna-t-elle, incrédule.

— Oui. Il faudra me le soigner, hein?

La main de la jeune fille tremblait en écrivant.

Bonhomme, satisfait à présent, il lui adressa un petit geste de complicité et s'éloigna, sans remarquer le trouble de sa jeune employée.

Thomas Russel!... le nom tournoyait dans sa tête comme une guirlande lumineuse. Elle qui échafaudait des plans compliqués pour le rencontrer! N'était-ce pas une extraordinaire coïncidence? Elle y voyait une indication du hasard, un présage favorable.

Brusquement, l'importance de l'instant l'envahit. Il ne fallait pas faire la moindre faute, profiter au maximum de l'occasion. Pas le temps de préparer un plan minutieux. Il lui faudrait improviser. Voyons... Était-elle en beauté? Elle vérifia d'une main fiévreuse l'ordonnance de sa coiffure, en regrettant sa sévérité. Mais le vert lui allait bien. L'étoffe molle épousait ses formes sans les souligner d'une façon vulgaire.

Ses yeux brillèrent d'une implacable résolution. Tout à coup, elle se travestissait en guerrière. Une flamme

chaude poudra ses joues. D'instinct, elle affûtait ses
armes, préparait ses phrases, ses attitudes. Quel détail
serait particulièrement susceptible d'intéresser un tel
homme? « Beaucoup de psychologie, ma petite Maria... »

« Vite, que Patrick se dépêche de me renseigner sur
ses goûts! » pensa-t-elle, tout en se dirigeant vers la
fameuse table.

Elle posa le petit rectangle de bristol où s'inscrivait le
nom de Russel, le contempla quelques secondes, son-
geusement.

C'était curieux, mais l'apparence physique de cet
homme ne la préoccupait pas. Ce qui importait, c'était
la bonne manière de le séduire. Maria ne pensait qu'à
elle. « Lui plairai-je? Suis-je son type de femme?
Comment était l' « autre », la première Mme Russel? »

L'orgueil, en principe, n'est pas un défaut féminin.
Chez certaines femmes, il perd son éclat farouche, non
dénué d'une certaine grandeur, pour prendre la saveur
moins glorieuse de la vanité. Maria était de celles-là.

Mais les défauts sont des maladies de l'âme... Ce
n'était pas la faute de Maria si les souvenirs d'enfance
l'avaient cruellement marquée. L'ennemi à combattre,
même au prix de durs sacrifices, l'ennemi numéro un,
c'était l'amour; cette passion dévorante et désintéressée
qui avait jadis animé sa mère et dont elle était morte.

Des lambeaux de souvenirs traînaient dans la
mémoire de Maria.

Visage meutri de larmes... La chanson triste du
chagrin, qui avait bercé son enfance. Plaintes, regrets,
heures dures de la misère, blessures d'orgueil.

Elle n'avait pas eu le temps de comprendre que si sa
mère avait souffert, du moins n'avait-elle rien regretté...

— S'il vous plaît, mademoiselle...

Les clients arrivaient en vague, s'adressaient à elle et
elle fut reprise dans le tourbillon du travail.

Guidant les uns, conseillant les autres, refusant avec
une grâce qui consolait les clients refoulés, elle ne cessait

cependant de guetter. « Quatre personnes », avait spéci-
fié le patron. Donc, il fallait éliminer les couples.
Qu'avait-il précisé encore? « Dix minutes. » Le temps
n'était-il pas largement écoulé?

Soudain, elle tressaillit. Un petit groupe composé de
trois hommes et d'une femme venait de franchir le seuil.

Pour dissiper ses derniers doutes, le patron s'empressa.

Maria expédia ses clients du moment. D'ailleurs, le
patron, de loin, lui faisait un petit signe de connivence.

— Nous vous avons réservé la meilleure table.

Maria prit le relais.

— Si vous voulez bien me suivre...

Les oreilles bourdonnantes, elle restait tendue, crispée, attentive à ne pas commettre la moindre faute, à
conserver une allure souple qui faisait valoir la grâce de
sa marche, son port de tête. Malgré ses efforts, elle se
sentait rigide, peu naturelle.

Quand les quatre arrivants furent installés, elle se
calma, comme un général à la veille d'une bataille. Tout
d'abord, elle enregistra certains détails qui lui donnèrent
l'impression qu'il s'agissait d'un repas d'affaires. Deux
porte-documents gisaient sur la banquette. Non, ce
n'était pas un dîner intime, encore moins une dînette
d'amoureux. La femme incarnait le type de la secrétaire,
tenue neutre, chevelure coupée court, des traits un peu
grossiers, mais une bouche large et saine, de beaux yeux
à la teinte indéfinissable. Un des convives était gras et
sanguin, avec un regard délavé souligné de bistre; le
deuxième arborait une calvitie à qui d'aucuns, en un
consolant euphémisme, attribuent l'épithète de « distinguée ». Le dernier avait un visage un peu irrégulier, une
chevelure sombre, trop soigneusement coiffée pour
convenir à la mode du moment, un regard gris fer que la
lumière éclaircissait, comme deux cibles d'argent où la
pupille faisait mouche. Une élégance austère. Pas même

une note de fantaisie dans la soie lourde de la cravate, mal assortie au costume.

Des trois, qui était Thomas Russel? Ils avaient sensiblement le même âge. Maria se rappelait la réflexion de Patrick : « Il fait un peu vieux jeu, dit-on... »

Cela, ajouté à la façon respectueuse dont se comportaient les trois autres personnages, confirmèrent son jugement.

Thomas Russel était, sans doute aucun, ce troisième homme. Elle en fut soulagée, non pas qu'il lui inspirât une attirance particulière, avec son air tranchant d'individu habitué à commander, son masque sévère qui indiquait un esprit sans cesse tourmenté par des problèmes économiques et financiers. Il lui était même plutôt antipathique, mais l'aspect des deux autres jouait en sa faveur. Il bénéficiait de la comparaison.

D'une voix veloutée, elle prit elle-même la commande, conseilla les spécialités « maison », le gratin de fruits de mer, le carré d'agneau aux herbes, le soufflé du chef.

Brièvement, Russel consulta ses compagnons, habitués à acquiescer sans réserve, approuva distraitement, avec un indifférence d'homme sans gourmandise pressé d'expédier une ennuyeuse corvée.

C'est alors que Maria s'avisa d'une chose : si, pour les besoins de la commande, Russel lui avait adressé quelques onomatopées, quelques regards, en réalité il ne l'avait pas vue ni entendue. Plus exactement, il ne lui attribuait pas plus d'importance qu'au moulin à poivre ou à l'abat-jour de la lampe. Pour lui, elle était transparente! Le menu élaboré, il se désintéressa complètement de la question et se mit à parler d'une voix sèche à son vis-à-vis, le gros homme aux yeux délavés.

Une colère nuancée d'un curieux plaisir éteignit le sourire sur la bouche de la jeune fille. Patrick avait raison, la partie ne serait pas facile. Mais sa fierté trouvait son compte devant un adversaire de cette taille.

Une victoire sans bataille l'eût déçue. Plus le gibier est récalcitrant, plus il se montre vulnérable, par la suite. Une doctrine de chasseur. En somme, c'était une chance que de Russel se classât dans la catégorie des hommes d'affaires, que rien n'intéresse en dehors de leur travail. De toute évidence, les femmes n'étaient pas sa préoccupation dominante.

Maria pensait aux révélations de Patrick, à ce mariage avec une ravissante actrice, si tragiquement dénoué. Fallait-il voir là l'explication de ce caractère fermé? Voilà qui était moins bon. On peut aisément lutter contre une rivale. Pas contre un fantôme.

Peut-être Russel avait-il l'intention de ne jamais refaire sa vie? Il ne fallait pas non plus oublier qu'il avait un enfant.

Elle l'observait sans cesse, d'un regard coulé, plongée en apparence dans les soucis de la commande. Par où commencer? Comment l'atteindre? Attirer son attention? Aucune faille, sur ces traits taillés durs, à l'emporte-pièce, dont le modelé vigoureux des lèvres accentuait l'énergie. Aucune douceur dans ce masque de granit. La fenêtre du regard, ouverte sur un ciel pâle, restait vide. On ne pouvait rien lire. La voix ne déparait pas l'ensemble. Il s'exprimait à petites phrases courtes, incisives, qui paraissaient cingler l'interlocuteur :.« Ni le vieux bonze ni le prince charmant... » Seulement un homme comme les autres, plus froid que la plupart, le type même de l'homme d'affaires pressé, sans concession à son personnage. La réalité est toujours au-delà ou en deçà du rêve...

Le maître d'hôtel et le sommelier vinrent rompre le fil de ses pensées. Cette insolite lenteur désorganisait le service. Maria dut provisoirement s'éloigner. Heureusement, la recommandation du patron favorisait ses projets. « « Il faut me le soigner, hein? »

D'ailleurs, celui-ci arrivait. De loin, la jeune fille le vit s'escrimer en courbettes et cette obséquiosité, dont il n'avait pas coutume l'agaça singulièrement. Pour qui se prenait-il, ce Russel? Un homme qui inspire de tels sentiments à son entourage ne peut être qu'un despote!

Toutes ces constatations, par petites touches, renforçaient le portrait du personnage. Un caractère sans nuance, bien délimité. Dur comme un roc. Il est plus facile de se battre avec un adversaire connu.

Pourquoi pensait-elle toujours : adversaire? ennemi? combat?

Ne pouvait-elle le séduire sans le vaincre?

Séduire... Le mot la choquait, appliqué à Russel. Y avait-il un terme moins approprié?

« Et pourtant, ce n'est qu'un homme, après tout... Capable d'amour, puisqu'il a aimé... »

Les difficultés pressenties attisaient sa résolution. Ayant expédié les insipides corvées, elle revint rôder autour de la table convoitée, comme attirée par un aimant. Le temps était limité. Ce soir, profitant de ce caprice de la chance, elle devait marquer un premier point!

Russel parlait toujours. Son regard scrutait celui de son auditeur. Ce dernier n'avait même pas commencé à manger. L'appétissant gratin refroidissait dans son assiette.

Le pauvre y jetait de brefs regards de regret. Nul d'ailleurs, pas même la femme, n'aurait osé avaler une bouchée avant le « maître ».

L'air engageant, Maria se pencha, de façon à envoyer une bouffée de son parfum :

— Pour la suite... Désirez-vous le carré d'agneau à point?

Il eut un geste comme pour chasser un insecte importun, se rappela à temps les principes de la plus élémentaire courtoisie, tourna la tête.

Rayon sans chaleur, le regard gris la traversa.

— Aucune importance, mademoiselle. Je m'en remets à votre goût.

Il n'avait même pas pris l'avis des autres convives.

« Un égoïste », ajouta Maria à la liste déjà longue des défauts entrevus.

Elle ne se décidait pas à partir, s'attardait à déplacer un cendrier, à rectifier l'abat-jour de la lampe, un pli de la nappe, versa elle-même le champagne brut, soin réservé par tradition au sommelier.

La certitude de sa beauté lui donnait du courage. C'était un de ses meilleurs atouts. Mais comment faire apprécier son intelligence ?

Morne, sans incident notable, le repas se déroulait. Donnant le signal, Thomas Russel s'était mis à manger, très vite, sans savourer les mets délicats. Cette totale absence de gourmandise, chez lui, prenait la forme d'un défaut.

Le dessert arriva et pas un instant Maria n'avait réussi à capter son attention. Elle enrageait. Que faire de plus ?

En aparté, le patron l'avait chaudement félicitée pour son empressement et ces compliments immérités l'avaient fait rougir.

Impuissante, elle discernait déjà les prémices d'un départ précipité. Ni café, ni liqueurs. Russel avait expédié le repas. D'un geste sec, il avait refusé les services d'une vendeuse de cigarettes et d'une marchande de fleurs. Sa main nerveuse avait rabattu le fermoir du porte-documents dont il avait extrait des papiers. A son côté, la femme-secrétaire attendait le signal du départ comme elle avait attendu la permission de manger.

« Et Patrick qui voulait que je me fasse engager comme secrétaire ! pensa Maria avec un amusement grinçant. S'il les prend toutes sur le même modèle, je n'avais aucune chance ! »

En avait-elle davantage ? Désespérément elle se creusait la tête pour trouver un moyen de se faire remar-

quer, de susciter une lueur d'intérêt dans ce regard
froid.

« A tout prix, attirer son attention! » Consigne
impérative. Mais comment s'y prendre?

« Je ne peux tout de même pas me mettre à hurler! Je
passerais pour une folle et cela me desservirait! »

Elle ne pouvait pas rester sur une défaite! C'était
rageant de ne pas profiter d'une occasion peut-être
unique!

Elle le vit payer l'addition, non pas avec l'indifférence
d'un grand seigneur, mais à la manière prudente d'un
petit comptable, en homme qui connaît la valeur de
l'argent.

« Radin, par-dessus le marché! C'est complet! »

L'imminence du départ la galvanisa. S'approchant,
elle fit semblant, d'une main vigilante, d'écarter la table
pour faciliter le passage. Mais elle s'arrangea pour
renverser une bouteille de pommard à demi pleine. Une
coulée de rubis envahit la nappe blanche, glissa jusqu'au
bord. Russel n'avait pas eu le temps de se dégager. Sa
veste était tachée. Le coup avait été bien calculé.

— Vraiment, je suis désolée...

La jeune fille donnait à sa voix une inflexion
chantante particulièrement réussie. Jamais paroles
n'avaient été plus mensongères. Elle n'était pas mécontente de son astuce.

— Aucune importance.

Déjà il s'apprêtait à partir. Alors elle insista, perdant
toute prudence, n'ayant plus qu'une idée en tête : lui
faire abandonner cette indifférence qui la mettait hors
d'elle, l'humiliant comme une insulte.

— Je vais vous faire apporter de l'eau chaude... Je
suis d'une maladresse... Cela ne m'arrive jamais, d'habitude... Je vous prie de me pardonner...

La soif de plaire sourdait de tout son être, amenait
une roseur ardente à ses pommettes, communiquait à
son regard un incomparable éclat.

Elle avait pris une attitude suppliante, sans servilité, gracieuse, féminine jusqu'au bout des ongles, avec cette torsade d'or qui emprisonnait sa tête, le casquant de lumière jusqu'à la nuque.

Et lui, pressé, ennuyé par l'incident qui déréglait de quelques minutes l'horaire prévu, s'irritait silencieusement, les traits durcis par la contrariété, le regard absent, se résignant cependant à attendre l'eau chaude qu'elle avait commandée sans son approbation.

Comment lutter contre un adversaire qui se dérobe? La colère versait un feu subtil dans les veines de la jeune fille. N'arriverait-elle pas, l'espace d'une seconde, à lui faire tourner les yeux vers elle?

Quand l'eau arriva, elle repoussa le garçon avec autorité, trempa un coin de serviette et entreprit elle-même de tamponner l'étoffe tachée.

Pour ce faire, elle s'était rapprochée de Thomas Russel, l'obligeant ainsi à respirer le parfum de sa chevelure, de sa chair tout entière.

Quel homme n'eût été troublé? Penchant la tête, elle s'ingéniait à prendre des postures harmonieuses, tout contre lui, continuant à balbutier des excuses qu'il n'entendait même pas.

Se laissait-il prendre au piège des cheveux d'or qui frissonnaient à la hauteur de ses lèvres?

Maria s'éternisait. Relevant enfin la tête, elle ne vit qu'un menton pointé au-dessous d'un grand air d'ennui.

— Merci, mademoiselle.

Voilà... C'était fini. Un bref remerciement. Il partait...

Immobile, furieuse, Maria vit disparaître les quatre silhouettes.

Elle éprouvait le sentiment confus d'avoir subi un grave affront. La rage au cœur, elle serra les dents. Ne pas se décourager au premier échec. Tout de même, c'était stupide d'avoir perdu une si belle occasion.

Peu à peu, cependant, à son dépit se mêlait une étrange exaltation. Pour un instant, le but à atteindre s'estompait, cette fortune à laquelle elle associait le bonheur. L'argent prenait soudain une place secondaire. L'important était de réussir à intéresser, à troubler ou même à mettre en colère ce Russel!

Le faire sortir de cette calme indifférence qui l'exaspérait. Par tous les moyens, elle réussirait! C'était à qui serait le plus fort, ou le plus habile. Une affaire entre elle et lui. Le découragement l'abandonna. Une énergie nouvelle gonfla son cœur. Qu'importait la première entrevue? La partie n'était pas encore engagée! Elle la gagnerait, même pour rien!

CHAPITRE IV

En trombe, Maria pénétra dans le petit bar voisin où elle avait donné rendez-vous à Patrick. Plongé dans la lecture d'un journal de sport, il ne l'avait pas vue venir. Prenant place en face de lui, elle attendit quelques secondes et, d'une pichenette, fit voler le journal.

Il lui présenta un visage ahuri.

— Quoi? Oh! pardon, je ne t'avais pas entendue. Mais qu'as-tu?

— Décidément, je suis transparente aujourd'hui! Personne ne fait attention à moi!

En une habitude familière, il fit claquer ses doigts.

— Hep! garçon! Un whisky, pour remettre cette jeune personne d'aplomb.

— Non, un verre d'eau.

— Marchons pour l'Évian. Alors, raconte.

— Il n'y a rien à raconter, dit-elle d'un ton sec.

— Ça n'a pas marché?

Alors, elle éclata :

— Comment veux-tu émouvoir un robot? Un être pareil, il faudrait un tremblement de terre, et encore! Il doit avoir une mécanique à la place du cœur! Pourquoi s'acharne-t-il à gagner tant d'argent, pour si mal en profiter? Il est avare, égoïste, mufle, fagoté comme un personnage de pièce noire, avec son parapluie, son chapeau à bords roulés, ses gants qu'il enfilerait soigneusement tout en marchant sur un tapis de cadavres.

— Conclusion, tu n'as pas réussi, fit-il quand elle se tut enfin, à bout de souffle. Je t'avais prévenue. Donc, tu renonces?

Le mot la fouetta.

— Renoncer? dit-elle en relevant le menton d'un geste de défi. Il n'en est pas question!

Il rit, car il avait prévu cette réaction.

— Alors, ma chère, il ne te reste plus qu'à te faire mousser l'imagination.

Un peu calmée, l'air sombre, elle réfléchissait. Son esprit enflammé méditait une éclatante revanche.

« Je ne peux tout de même pas me jeter sous sa voiture pour qu'il daigne enfin me remarquer! »

Elle avait parlé tout haut, sans s'en apercevoir.

— Bien sûr que non, approuva gaiement Patrick. C'est une hypothèse à éliminer. A part un bel enterrement, il ne pourrait guère t'offrir autre chose. Et puis, tu risquerais d'être infirme ou défigurée. C'est ton capital beauté que tu perdrais, ma jolie!

Mais la jeune fille suivait le cours de ses pensées.

« ... Provoquer son intérêt. Trouver un moyen original, une circonstance exceptionnelle... De façon qu'il ne puisse pas se dérober. Comment s'y prendre?... Attends un peu... Il me semble entrevoir une lueur... »

Quelques instants, il avait respecté sa méditation, mais il était trop remuant, trop curieux aussi, pour supporter plus longtemps un rôle passif.

— Tu as trouvé un truc?

— Peut-être bien... C'est un embryon d'idée...

— Explique, je grille d'impatience.

Autour d'eux, la salle s'était remplie et le bruit des conversations tissait un fond sonore, une rumeur confuse traversée parfois d'une chanson jaillie d'un juke-box installé dans un angle.

— Mon histoire commence à prendre forme, dit enfin

Maria, mais je me demande si ce n'est pas un peu trop rocambolesque... Il ne faudrait pas qu'il se méfie, tu comprends...

— Je ne comprends rien encore. Dis toujours, concéda-t-il, sur la défensive.

— Voilà... Il faut un fait brutal, qui se déroulerait près de son domicile, de façon à ce qu'il m'y conduise, me croyant blessée.

D'un mouvement vif, le jeune homme rejeta ses cheveux en arrière.

— Il y aura du sang et des larmes dans ton feuilleton ?

— Ne plaisante pas toujours, c'est fatigant à la fin. Je ne sais même plus où j'en étais !

— Au fait brutal.

— Oui... Un incident qui l'oblige à s'interposer, à prendre une décision.

— Tu pourrais te jeter à l'eau ? L'inconvénient est qu'il ne sera pas le seul à vouloir te repêcher. Et puis, la Seine ne coule pas rue Octave-Feuillet. Une tentative de suicide ? Tel que je le connais déjà, il te laissera bien gentiment te supprimer.

Un sourire de victoire errait sur la bouche de Maria.

— Non, rien de tout cela. Quelque chose de beaucoup mieux, qui le flattera sans l'exaspérer : une agression nocturne !

— Sur lui ?

— Mais non, idiot, sur moi !

— Pas mal, pas mal du tout. Et comment recruteras-tu ton tueur à gages ?

Les yeux bleus de la jeune fille brillaient d'excitation.

— Je l'ai déjà trouvé. Mon petit scénario s'organise à merveille ! Par exemple...

Là, le visage de Maria se fit charmeur.

— ... par exemple, je vais avoir besoin de toi, mon petit Pat.

Il ne voyait pas où elle voulait en venir, l'interrogeait

du regard. Peu à peu, cependant, un sentiment de défiance l'envahissait.

— Écoute avec beaucoup d'attention, mon petit Pat, et interromps-moi si tu as une critique à formuler. Voilà comment j'envisage le déroulement des opérations : je me trouve à proximité de la demeure de Russel. Tu t'arrangeras pour connaître l'heure approximative à laquelle il regagne son domicile. J'attends d'apercevoir la Rolls. A cet instant précis, on m'attaque pour me voler mon sac. Naturellement, je hurle. Russel entend mon cri. Sans être particulièrement chevaleresque, un homme ne peut décemment pas rester insensible à un appel au secours. Il se précipite donc, intervient, met l'agresseur en fuite et je n'ai plus qu'à défaillir dans ses bras! Si la chance m'est favorable, il me conduira chez lui. Le tour est joué. Une fois dans la place, je n'ai plus qu'à lui faire la grande scène du « 3 ». Que dis-tu de ma trouvaille?

Placide, il sifflota entre ses dents.

— Chapeau! Formidable, ton synopsis! Mais je ne vois toujours pas mon rôle là-dedans.

Elle se mit à rire.

— Puisque le principal, celui du héros, est tenu par Russel, tu seras la vedette américaine.

— C'est-à-dire? fit-il. commençant à deviner où elle voulait en venir.

— L'agresseur.

— Tu n'es pas tombée sur la tête? dit-il sèchement. Désolé, ma vieille, mais cette fois-ci je ne marche pas. Les risques sont trop grands.

— Quels risques? Tu refuserais de me rendre ce service?

— Naturellement, je refuse! Tu en as de bonnes, toi! Des risques de toutes sortes!

— Cite-m'en quelques-uns. Je te défie d'en trouver de valables.

Mis au pied du mur, il réfléchit quelques instants. Puis son visage s'éclaira.

— Je n'ai que l'embarras du choix, à commencer par Russel lui-même! S'il m'assomme?

— C'est toi qui m'assommes, avec tes réticences. Tu fileras avant qu'il n'arrive.

— Qui m'en donne l'assurance?

— Moi. Je me cramponnerai à lui comme une femme affolée pour qu'il ne puisse pas te poursuivre.

— Et s'il me tue? Je tiens à ma peau, car je n'en possède pas de rechange.

— Comment te tuerait-il?

— Avec un revolver par exemple. Ces types-là en ont toujours un dans la boîte à gants de leur voiture.

— Ce que tu peux être froussard, tout de même! Combien de fois faut-il te répéter que je vais tout organiser, tout prévoir!

— Et si le chauffeur alerte la police pendant que tu te pâmeras dans les bras de ton Roméo? Tu l'oublies, celui-là!

— Non, monsieur, je ne l'oublie pas. J'ai été repérer les lieux, sans but précis, du reste. Aucun avertisseur de police dans le secteur. Pas davantage de bars d'où l'on pourrait téléphoner. Comme tous les quartiers chics du seizième, l'endroit est désert.

— Et que serais-tu censée faire dans ce quartier désert, à cette heure indue? bougonna-t-il.

Au son de sa voix elle sentit qu'il fléchissait. Cher Pat, toujours prêt à faire ses quatre volontés...

— J'ai aussi envisagé ces petits détails, que d'ailleurs il ne me demandera pas. J'aurais été voir une amie souffrante, qui m'avait demandé de passer la nuit avec elle.

A son air elle vit qu'elle avait gagné, mais eut l'habileté de ne pas montrer son contentement.

— Tu ne crains pas l'invraisemblable d'une telle situation? objecta-t-il encore, pour la forme.

— Mais non! Plus j'y réfléchis, plus cela me paraît plausible. On attaque tous les jours des gens dans les rues nocturnes!

Comme il restait sombre, elle lui tapota les cheveux.

— Puisque je t'assure qu'il n'y a aucun danger... Et mon rôle? Y as-tu pensé? Si je ratais ma scène de séduction et qu'il reste de marbre?

— Ça m'étonnerait.

— Enfin un mot gentil!

Une joyeuse ardeur fardait ses joues.

— Je crois quand même avoir échafaudé une situation assez romanesque. Qu'en dis-tu?

— Je dis que tu m'épouvantes, que tu m'entraînes vers de sombres abîmes et que tes astuces sont dignes de Machiavel, je dis que tu es complètement cinglée mais que je le suis au moins autant que toi en acceptant!

Le jeune homme avait retrouvé son lyrisme gouailleur.

— Tu es chic, Pat! Je te devrai peut-être mon bonheur!

Il la regarda avec un mélange d'affection et de rancune.

— Ton bonheur... Enfin, il sera dit que tu me feras passer par un trou d'aiguille. Ce que j'en fais, remarque, c'est uniquement pour te protéger.

— Me protéger?

— Parfaitement! Comme tu es suffisamment entêtée pour ne pas renoncer à ton scénario, je ne voudrais pas que tu t'adresses à la main-d'œuvre étrangère. Je tremble à la pensée que tu deviennes la proie d'un maître chanteur ou, pire encore, d'un vrai voyou qui t'estourbirait pour de bon. Alors je minimise les risques en me chargeant moi-même de la besogne.

Son œil bridé riait. Il avait repris son insouciance. D'une main preste, il ébouriffa sa chevelure, soupira comiquement en levant son verre d'eau minérale :

— Le dernier peut-être...

— A notre réussite, dit-elle, en l'imitant. Ce soir, répétition générale. Il faut que tout soit minuté, rien ne doit être laissé au hasard.

CHAPITRE V

Sombre et silencieuse, la Rolls roulait dans la nuit. La faible lumière d'un bec de gaz électrifié éclairait à peine la rue Octave-Feuillet, aux trottoirs étroits, vernissés d'une récente pluie. Un ciel morne déposait des taches de lune sur les façades closes des belles maisons bourgeoises.

Solitaire dans l'angle capitonné de la voiture, un bras passé dans l'accoudoir, Thomas Russel ruminait un nouveau projet d'association. Une fusion entre deux sociétés rivales. Ce problème occupait tout son esprit. Depuis des années, il était ainsi. Acharné dans la réussite. Une ténacité à toute épreuve. Même pas un but à atteindre. La guerre pour la guerre. Sans butin. C'était le seul moyen qu'il avait trouvé pour fuir les souvenirs, combler le vide de son existence. Une chance, cette faculté de s'isoler totalement dans le travail. Son dédain des femmes et des plaisirs futiles était né d'une grande souffrance, plus exactement d'une grande désillusion. Il ne croyait plus en rien ni en personne. Parce qu'autrefois son cœur avait été tendre, il avait été blessé. Comme pour une maladie grave, l'immunisation était acquise à présent. Une dure écorce le protégeait. Du moins en était-il persuadé, puisqu'il ne l'avait plus mis à l'épreuve, fuyant les tentations. D'emblée, la vue d'une jolie femme le hérissait.

Les doigts croisés sous son menton, il se concentra sur son problème.

Soudain, un cri troua la nuit :

— Au secours !

C'était un appel angoissé. Une voix de femme. Il cogna impérativement contre la vitre.

— Arrêtez !

La Rolls s'immobilisa. Le cri de terreur retentit à nouveau :

— Au secours !

Sans plus d'hésitation, Thomas Russel ouvrit la portière. Son regard gris, incisif, fouilla la nuit. A quelques mètres de là, il aperçut un couple qui luttait et s'élança.

La scène était réglée comme un ballet. Il n'avait pas fallu plus de quatre répétitions pour la mettre au point. Patrick avait appris, par son ami journaliste, que Thomas Russel avait pour habitude, chaque vendredi, d'aller dîner chez des amis et regagnait son domicile très exactement à minuit.

A minuit moins le quart, la jeune fille s'était postée à l'angle de la rue Octave-Feuillet, tandis que Patrick, de son côté, surveillait les rares voitures. La Rolls était facilement repérable.

A son apparition, Maria avait pris le départ. « On tourne ! » avait chuchoté Patrick en riant un peu nerveusement. Quelques secondes plus tard, le jeune homme, à son tour, entrait en scène.

Et maintenant, comme prévu, ignorant le rôle qu'on lui avait attribué, le troisième personnage courait vers eux, tel un preux chevalier.

Patrick faisait semblant de rudoyer sa victime et Maria feignait de lui opposer une résistance désespérée. Tout était calculé. Au moment où Russel arrivait, Patrick s'empara du sac de la jeune fille et se sauva.

Pas assez vite pourtant. Russel avait le réflexe rapide. Avant que le jeune homme ait pu fuir, une main de fer s'abattit sur son épaule. Patrick ferma les yeux. Tout était perdu...

Mais Maria venait à son aide. D'un élan, elle se jeta entre les deux hommes, réussit à faire lâcher prise à Russel, non par la force, ce qui aurait été maladroit, mais par la ruse. Feignant une défaillance, elle s'accrochait à lui, comme une femme complètement affolée.

L'espace d'un éclair, le regard d'aigle de Thomas Russel enregistra le visage asiatique du garçon.

Libéré, ce dernier fila comme un vrai malfaiteur, sans demander son reste. L'obscurité l'engloutit...

La minute était décisive. Le cœur de Maria battait à se rompre.

Une voix lui parvint, à travers un brouillard :

— Êtes-vous blessée?

En imagination elle avait déjà vécu cet instant. Relevant la tête, elle lui offrit un visage pur et blanc, aux yeux mi-clos, aux lèvres entrouvertes. Un visage émouvant, réservant pour plus tard le rayon bleu du regard.

Pourtant, à travers ses cils baissés, elle observait l'ennemi. Lucidement.

— Êtes-vous blessée? répéta-t-il, alarmé par sa pâleur et son silence.

— Je ne crois pas... mais j'ai eu si peur... ce voyou me menaçait...

Pauvre Patrick! En prononçant ces derniers mots, elle avait de la peine à garder son sérieux.

— Sans votre courageuse intervention...

Une idée lumineuse, cette phrase qui faisait partie du dialogue. Toujours flatter celui qu'on veut duper. Voir la fable de La Fontaine.

Elle parlait d'une voix languissante, avec une mimique longuement étudiée devant le miroir.

— Vous n'auriez pas dû m'empêcher de poursuivre ce vaurien, pour lui donner la correction qu'il méritait!

— Ne regrettez rien, dit-elle en ébauchant une moue

indulgente. Après tout, il ne m'a pas tuée... ni blessée d'ailleurs...

— Parce qu'il n'en a pas eu le temps, mais ce n'est pas l'intention qui lui manquait! Personnellement, je n'ai aucune indulgence pour ce genre de voyou!

Il ajouta :

— Le reconnaîtriez-vous, le cas échéant?

— Non, j'étais si effrayée... Et puis il fait si sombre...

Il valait mieux ne pas s'aventurer sur ce terrain dangereux. Il fallait détourner les pensées de Russel.

— Je préférerais ne plus en parler.

Elle était toujours appuyée sur lui. Qu'attendait-il pour prendre une initiative?

Il paraissait gauche, emprunté, dans une situation délicate.

— Je vais vous conduire à une pharmacie, trancha-t-il. Il en existe d'ouvertes la nuit.

— Non, non, protesta-t-elle trop vivement, c'est inutile. Je vous assure que je n'ai rien!

— Pas de blessure peut-être, mais un choc nerveux. On vous donnera un calmant.

Cela ne faisait pas son affaire. Jamais plus elle ne retrouverait une occasion aussi exceptionnelle. D'autant plus qu'il la connaissait maintenant. Ses ruses deviendraient inutiles.

Tactique classique, elle simula un nouvel étourdissement, portant la main à son front, poussant un vague gémissement.

Un bras vigoureux soutint sa taille. Sous cette faiblesse imaginaire, elle avait grand-peine à dissimuler une forte envie de rire.

— Vous voyez bien que vous avez besoin d'être soignée, dit-il d'un ton indécis.

— C'est l'émotion, cela va passer, balbutia-t-elle. L'air frais me fait du bien. Un peu de repos et tout rentrera dans l'ordre.

Il ne retirait pas son bras. Le silence nocturne les

enveloppait. Haleine de la nuit, un fin brouillard d'hiver flottait autour d'eux, déroulant des volutes de brume, ennuageant leur visage d'une vapeur irréelle.

Consciente, Maria s'abandonnait, prolongeait sa faiblesse. Un sûr instinct lui soufflait que sa comédie commençait à porter ses fruits. Une première brèche, dans ce cœur réputé insensible. Elle le devinait troublé, déconcerté.

Alors, en un mouvement gracieux, elle posa son front sur l'épaule masculine, en exhalant un soupir de tourterelle meurtrie.

Quelques minutes, elle resta le front appuyé sur cette étoffe laineuse qui sentait le tabac blond, puis, d'un coup, elle releva la tête, offrant le saphir rare de ses yeux, certaine de sa beauté.

Cette fois, sans équivoque, Thomas Russel la découvrait... Son regard détaillait le joli visage clair, à la chevelure ensoleillée.

— C'est curieux, dit-il enfin, il me semble vous avoir déjà rencontrée quelque part...

Un sourire étroit modifia le dessin de sa bouche.

— Phrase classique, mais dans mon cas, sincère. Avouez que je n'ai pas eu besoin de cette ruse banale pour faire votre connaissance?

« Malgré les apparences, il n'est pas totalement dépourvu d'humour », lui concéda-t-elle intérieurement.

— C'est vrai. Les événements y ont largement contribué.

— Après tout, ce doit être une erreur...

La voix avait repris sa sécheresse.

« Jouer serré, ne commettre aucune erreur pour ne pas perdre le mince avantage acquis », s'intima-t-elle.

Elle ne s'illusionnait pas. C'était sa dernière chance.

Le bras abandonna sa taille.

— Le mieux est de vous reconduire chez vous. Donnez-moi votre adresse.

C'était un piètre résultat. Le dos tourné, il l'oublie-

rait. Et comment reprendre contact par la suite?
L'urgence de la situation l'oppressa. Subitement, l'idée
jaillit de son esprit enfiévré.

— On m'a volé mes clefs, avec mon sac. Impossible
de trouver un serrurier à cette heure tardive.

« Génial », se félicita-t-elle.

— C'est ennuyeux, dit-il en mordillant sa lèvre, après
quelques instants de réflexion.

Un pli contrarié barrait son front, et elle comprit qu'il
hésitait. Le moment était critique. A nouveau, elle
ressentit cette exaltation de joueuse qui fait presque
oublier l'enjeu de la partie. Elle avait misé. Allait-elle
perdre?

On pouvait prévoir les réactions d'un homme normal,
dans des circonstances identiques. Mais lui?

« Va-t-il faire durer longtemps le suspense? »

Une inquiétude tordait son cœur. Elle n'arrivait plus
à se mettre dans la peau du rôle, à contrôler ses nerfs,
secrètement humiliée par cette indécision. Un désir la
prenait de fuir, de renoncer à cette absurde comédie.

Sans doute Maria allait-elle commettre une irrépa-
rable maladresse qu'elle regretterait peut-être par la
suite, sans doute allait-elle perdre en une seconde le
résultat de tant d'efforts, mais elle était à bout. Ses nerfs
flanchaient. Elle ouvrit la bouche. Russel la devança.

— J'habite à deux pas d'ici. Venez...

L'ivresse de la victoire, quand on est sur le point de
renoncer, vous communique un curieux plaisir. Son
désarroi n'était pas feint en balbutiant :

— Je suis vraiment désolée...

La phrase évoqua un souvenir dans la mémoire de
Russel. Où l'avait-il entendue, et de la même voix
chantante?

— C'est tout à fait naturel. Vous boirez un réconfor-
tant.

— Vous avez été si serviable, si courageux... Je ne
voudrais pas vous causer le moindre dérangement...

Elle prolongeait la lutte à plaisir, à présent qu'elle était sûre de gagner.

— Aucun dérangement, je vous assure.

Ce ton bref... Regrettait-il déjà sa décision? Il ne fallait pas jouer avec le feu. Pourtant, elle marqua une dernière hésitation. Il crut comprendre. Un sourire vaguement ironique voltigea sur sa bouche.

— Ma femme de charge vous préparera une chambre d'ami.

Docile, elle se laissa entraîner.

Figé au volant, le chauffeur attendait. Russel le congédia.

— Demain, Germain ira vous reconduire.

Il avait passé son bras sous le sien pour la guider, et elle s'y appuyait, comme à bout d'émotions, prise d'une réelle faiblesse devant cette réussite tant désirée.

C'est ainsi que Maria fit son entrée dans le luxueux hall de l'immeuble de la rue Octave-Feuillet.

***

Le trajet fut trop court au gré de Maria.

L'ascenseur les déposa au troisième étage.

Russel ouvrit la porte, s'effaça :

— Entrez...

L'appartement était vaste, richement meublé, mais il y flottait une certaine tristesse. Le salon où Maria pénétra était baigné d'ombre. Sous la main de Russel, un lustre de cristal diffusa une lumière jaune, restreinte. Sans en avoir l'air, la jeune fille enregistrait les détails, évaluait les meubles de prix, patinés par le temps. C'était une pièce en rotonde, dont les six fenêtres à petits carreaux, étroites et longues, se masquaient d'épaisses tentures d'un velours grenat, à peines allégées d'une cantonnière à frange. Sur la moquette de haute laine, des tapis d'Orient achevaient de feutrer les pas.

C'était donc là l'antre du fauve!... En l'occurrence, c'était lui le gibier, mais il ne s'en doutait pas.

Soudain, la jeune fille fut sensible à ce luxe froid, un peu écrasant, comme le poids de cette richesse dont Russel semblait si mal profiter. Si un jour elle devenait maîtresse de cette demeure, tout changerait.

Bien loin de se douter de ces pensées, Russel s'empressait, avec une gaucherie brusque d'homme peu habitué à la compagnie féminine.

— Asseyez-vous. Je vais vous servir une boisson. Que désirez-vous? porto? whisky? Un peu de fine peut-être?

— Comme vous voudrez. J'ai si peu l'habitude de l'alcool...

Dolente, elle se laissa, comme par hasard, tomber sur le divan, alors qu'elle avait repéré avec soin l'emplacement propice à ses projets.

Entre ses cils, elle observait sournoisement Russel.

De taille et de carrure moyennes, pas un cheveu blanc, mais quelques rides éparses sur le visage, griffures des soucis plus que des ans. En somme, ni bien ni mal. Neutre. Un peu trop guindé, une expression sévère qui le vieillissait. Le bilan n'était pas désastreux.

Elle avait quitté son manteau et, la tête renversée sur les coussins, en une pose savante qui mettait en valeur la courbe de sa gorge, la ligne parfaite de ses jambes, elle attendait. Habilement, elle avait retiré quelques épingles de son chignon et il était prêt à s'écrouler au moindre geste.

Quand Russel revint, portant deux verres, elle était assurée comme une guerrière, le regard embusqué sous les longs cils dorés.

Mais comme l'ennemi était fuyant, déconcertant, impénétrable!... Qu'il était ardu de déchiffrer les sentiments dans ces yeux gris, changeants comme un ciel d'orage, parfois d'argent clair, jusqu'à la transparence!

La force de Thomas Russel se concentrait tout entière dans ce regard qui déroutait, jugeait, transperçait, intimidait. L'interlocuteur se sentait mal à l'aise. Un regard qui cillait rarement, qui méritait largement ce qualificatif « d'acier » dont on l'affublait, comparaison sans originalité, mais comment définir autrement ce rayon froid qui vous traversait comme une lame?

Personne n'avait pensé que c'était une défense plutôt qu'une arme.

Cependant, ce fut dans ce regard-là que Maria découvrit, sans ambiguïté, sa première vraie victoire. Tout à l'heure, elle l'avait cru troublé, puis il s'était ressaisi. En somme, il avait agi en homme courtois, sans plus. A présent, un verre à la main, qu'il ne pensait même pas à lui tendre, il paraissait changé en statue. La naissance d'une émotion depuis longtemps oubliée se réfugiait au fond de ses prunelles, les bleutant d'une douceur inattendue.

Comme dans un miroir, Maria lisait sa beauté...

Accentuant sa langueur, elle tendit la main vers la boisson, avec ce sourire de madone hautaine qui faisait partie de son charme. Le geste faisait ressortir la finesse des attaches. Son meilleur atout, ce sang des de Launay qui coulait dans ses veines. Malgré le reniement, nul n'y pouvait rien. Elle lui vouait une rageuse reconnaissance.

Soulevée sur un coude, elle trempa ses lèvres dans le whisky, poussa un soupir d'aise, reposa le verre sur un guéridon proche et reprit sa position.

— Merci. Je vais beaucoup mieux...

Ils s'observèrent quelques instants en silence. A livre ouvert, elle suivait la lutte intérieure sur ces traits rudes. Pour rompre la gêne, Russel but son verre d'un trait.

— Je vais téléphoner à la police, dit-il soudain en se dirigeant vers l'appareil blanc, à demi dissimulé derrière un paravent.

— Non, je vous en prie! A quoi bon faire intervenir la police dans une histoire qui s'est si bien terminée?

— On vous a volé votre sac, dit-il en hésitant sur la conduite à tenir.

— C'était un vieux sac qui contenait peu d'argent. J'ai envie d'être indulgente. Je vous ai causé beaucoup de peine pour peu de chose...

Dans sa voix, elle faisait passer toute la douceur possible.

Renonçant à téléphoner, il approcha une chaise du divan, s'y installa, droit, correct comme s'il présidait un conseil d'administration.

— Que faisiez-vous dans ce quartier et à cette heure? demanda-t-il.

Elle débita la fable préparée.

— Une amie souffrante m'avait demandé de venir la voir après mon travail. Je devais passer la nuit chez elle. J'ai d'ailleurs quitté plus tôt que d'habitude.

— Que faites-vous?

Son intérêt s'éveillait. Mais le questionnaire était sans chaleur.

— Je suis hôtesse d'accueil dans un grand restaurant.

Il poussa une brève exclamation.

— Je sais maintenant où je vous ai vue! C'était à *Nuit et Jour!* J'y suis allé récemment.

Elle feignit de s'étonner de la coïncidence, mais c'était une situation délicate et elle avait hâte de changer de sujet.

— Je m'appelle Maria de Launay, dit-elle.

— Excusez-moi, je suis impardonnable : Thomas Russel.

Avait-il saisi la nuance, quand elle avait marqué un léger temps d'arrêt entre son nom et la particule? Elle l'espérait.

— J'avais un dîner d'affaires ce soir-là, reprit-il, poursuivant son idée, et comme soucieux d'expliquer sa présence en un lieu de plaisir. C'est vraiment curieux. Nous étions décidément faits pour nous rencontrer...

Peu désireuse de le voir s'appesantir sur cette coïncidence, que Patrick, dans son langage imagé, avait qualifiée de « câble », la jeune fille enchaîna avec vivacité.

— Et vous, monsieur, quel est votre métier?

S'il avait pu deviner l'ironie de la question!

Il eut ce sourire bref, teinté d'amertume, qu'elle commençait à connaître :

— Mes activités se résument à ce vague signalement : homme d'affaires. Mais cela englobe beaucoup d'activités, qui d'ailleurs n'intéressent pas les jolies femmes.

Par contenance, elle reprit son verre, eut un mouvement maladroit et renversa quelques gouttes de liquide sur sa robe.

— Cette fois, c'est moi qui vais réparer le désastre, dit-il.

Le souvenir récent les rapprochait.

De sa pochette de soie, marquée à ses initiales, il essuya l'étoffe légère, le poignet mouillé. Ses doigts s'attardaient. Le contact de cette chair fine le troublait profondément. Il avait la sensation d'être comme un oiseau nocturne mis brusquement en face du soleil.

Tout dans cette femme, malgré la réserve qu'il s'efforçait de conserver, le bouleversait. L'essence même de sa beauté. Elle était tout en blondeur, avec une touche de miel sauvage sur sa peau claire... Le bleu intense des yeux, dans la nacre précieuse du visage... Il aurait été moins sensible à une beauté brune. Celle de Maria brillait comme une étoile insolite, dans la nuit où il s'était volontairement plongé depuis tant d'années. Il en émergeait brutalement, ébloui, luttant encore, vaincu déjà.

Dans le mouvement qu'elle avait fait pour boire, Maria avait déplacé la tête et l'édifice de sa coiffure s'effondra. En rayons d'or fluide, les longues mèches s'éparpillèrent sur le velours sévère des coussins.

Dernière défense d'une âme blessée, Thomas Russel s'efforça de rester impassible. Le visage rigide, il regardait cette masse dorée. Un désir puissant lui

incendiait brusquement les veines. Trop longtemps
contenu, ce désir achevait de détruire la citadelle qu'il
avait mis sept ans à édifier, avec de hautes murailles de
pierre qui à présent s'effritaient comme un château de
sable rongé par la mer.

Désormais, il s'était cru à l'abri des surprises du cœur
et des sens. On ne recommence pas deux fois la même
erreur. On ne tombe pas deux fois dans le même piège!
C'était le serment qu'il s'était fait et qu'il avait tenu
jusqu'ici, sans défaillance ni tentation. Une solitude qui
n'était même pas un sacrifice, car il croyait avoir épuisé
pour toujours sa faculté d'aimer.

Et voilà que le démon resurgissait, qu'une autre
femme se dressait sur son chemin, aussi belle que la
première, davantage même, dans tout l'éclat de sa
jeunesse. Le hasard s'acharnait donc sur lui?

Il tressaillit, car il avait pensé le mot et se le
reprochait.

Pourquoi le hasard ne rectifierait-il pas l'erreur de
jadis? Pourquoi ne compenserait-il pas la souffrance
passée, en lui donnant une nouvelle chance?

Ce soir, il révisait ses conceptions. La beauté est-elle
forcément l'apanage du diable? On peut posséder l'âme
de son visage...

Envahi d'espérance, le dernier sentiment à mourir au
cœur des hommes, il renaissait. Un regard aussi pur que
celui-là pouvait-il mentir, tromper?

— Comme vous êtes belle! murmura-t-il, malgré lui.

Maria ne sembla pas entendre. S'apercevait-elle qu'il
avait laissé sa main sur la sienne?

— Je pense que je vous ai suffisamment dérangé, dit-
elle avec une confusion charmante, comme si elle se
reprochait son abandon. Je vais rentrer. Je viens de me
souvenir que ma concierge possède un deuxième jeu de
clefs.

— Il n'est pas question de réveiller cette brave
femme.

— Je vais avoir envers vous une dette trop lourde de reconnaissance. Vous m'avez déjà sauvé la vie...

— N'exagérons pas.

N'était-ce pas une excellente tactique, quand on a ferré le poisson, que de laisser filer la ligne? A présent, Maria se détendait, dans la certitude de la réussite.

En dilettante, elle frôla le danger, le provoqua. Mais il n'était pas nécessaire de brûler les étapes. Pour ce soir, c'était suffisant. Elle ne savait comment rompre un entretien qui devenait fastidieux.

— Parlez-moi de vous, dit-il, avec cette brusquerie qui le caractérisait.

Réprimant un bâillement, elle dit :

— J'ai perdu mes parents très jeune. Je suis seule.

Il releva le propos.

— Seule?

Elle soutint son regard, avec un mélange de candeur et de hardiesse.

— Oui. J'ai de bons camarades, rien de plus.

— Votre travail vous plaît-il? demanda-t-il, sans insister.

— Autant celui-là qu'un autre. J'ai trouvé cet emploi grâce à ma connaissance des langues étrangères.

— N'avez-vous vraiment aucune famille?

Dès qu'on évoquait ce sujet, son regard prenait une expression rancunière.

— Ma famille n'a jamais voulu entendre parler de moi. Mon père était le dernier descendant du titre et il avait eu la mauvaise idée de faire un mariage d'amour.

— Dans ce milieu, avec votre beauté, vous devez être très courtisée, n'est-ce pas?

Décidément, il employait des expressions démodées. « Vieux jeu ». Pouvait-on mieux le qualifier?

— Je n'ai encore jamais rencontré un homme qui me plaise. J'ai l'exemple de ma mère, je me méfie de l'amour...

Voix étouffée, il questionna encore :

— Quel âge avez-vous?

— Vingt-trois ans. Mais ce n'est pas une question qu'on pose à une femme.

— A votre âge, aucune importance...

La main sur les yeux, il s'abîma dans une profonde méditation. Sa raison essayait de résister à la plus troublante des tentations. En homme habituellement lucide, il se posait à lui-même cette angoissante question : pouvait-il plaire à une jeune fille de vingt-trois ans?

Sous des dehors cyniques, il était resté vulnérable comme un adolescent. Naïf, il n'imaginait pas que sa fortune puisse intervenir en sa faveur.

Quand il releva la tête, Maria mesura l'étendue de sa victoire.

« Pieds et poings liés. » Ce n'était donc que cela, l'invincible Russel?

— Maria...

L'audace lui venait. Pas un instant il ne réfléchissait au côté insolite de l'aventure, n'établissait aucun lien avec leur précédente rencontre. Il ne voyait plus que cette femme si belle, dans l'or déroulé de sa chevelure, à la fois chaste et provocante, si proche et si lointaine.

— Maria..., répéta-t-il en se rapprochant, fasciné.

Un bruit stoppa son geste. Dans l'encadrement de la porte, se tenait une jeune femme d'une trentaine d'années environ, vêtue d'une robe d'intérieur aux lignes nettes. La lumière la coiffait d'un court bonnet blond.

— C'est vous, Régine? dit-il, dégrisé et contrarié. Pourquoi n'êtes-vous pas encore couchée?

— Je vous ai entendu rentrer et j'étais venue voir si vous aviez besoin de mes services.

— Je n'ai besoin de rien.

— Il n'est pas dans vos habitudes de rentrer si tard. Je ne voulais pas vous déranger...

Pris d'une brusque inquiétude, il demanda :

— Armelle?

— Rassurez-vous, elle dort.

Maria n'avait pas perdu une miette des paroles échangées. Tout de suite, elle avait reconnu la jeune femme qui accompagnait Thomas Russel, l'autre soir, au restaurant. Dans cette toilette moins stricte, elle avait un certain charme, fait de franchise et d'intelligence. De douceur aussi. Cette Régine était-elle une rivale dangereuse? Patrick lui avait bien mentionné une personne de confiance, qui s'occupait de la fillette. L'enfant était un lien entre eux. « Amie ou domestique? »

En femme, Maria détaillait avec minutie ce visage trop net, sans finesse, mais racheté par de beaux yeux brillants, une bouche large et saine.

Son premier mouvement d'humeur passé, Thomas Russel se leva et vint prendre amicalement le bras de l'arrivante.

— Régine, je vous présente Mlle de Launay. Un heureux hasard m'a permis de lui venir en aide en la délivrant d'un jeune voyou qui l'attaquait.

Les deux femmes se sourirent sans chaleur. Une politesse grinçante.

— Il est tard, constata Russel à regret. J'aurais dû penser que vous aviez besoin de repos. Régine, voulez-vous voir s'il ne manque rien dans la chambre rose?

La jeune femme éloignée, il se pencha vers Maria. Sa phrase était-elle une prière ou une promesse?

— Bonsoir, Maria... Nous nous reverrons...

***

Immobile au pied du lit capitonné de blanc, Thomas Russel contemplait sa fille endormie. Le visage de l'enfant se détachait sur l'oreiller de dentelle, si parfait, si pareil à « l'autre », qu'il tressaillit douloureusement, comme chaque fois qu'il constatait cette ressemblance. Même chevelure rousse et indisciplinée qui se massait en frange épaisse sur le front bombé. La peau avait la teinte caractéristique des rousses, laiteuse, avec, en filigrane, ces lentilles blondes qui en accentuaient la pâleur chaude.

Sensuelle chez la femme, charnue chez l'enfant, la bouche conservait une moue boudeuse, même dans le sourire.

Par un caprice de la nature, Armelle ne possédait pas un seul trait de son père. Ce qui la différenciait de sa mère, c'était la fragilité. Olga Russel avait été une fascinante créature, douée d'une vitalité à toute épreuve. Son extraordinaire résistance physique, alliée à une indiscutable photogénie, en avait fait une actrice en renom. A défaut de talent, elle possédait un aplomb sans limites, qui frisait l'inconscience. Mais on ne peut faire illusion très longtemps quand on ajuste un masque. Il finit toujours par craquer. Tôt ou tard. Russel en avait fait l'amère expérience. Olga? Une tête sans cervelle, une totale absence de cœur, une arriviste sans scrupules. Voilà ce que cachait le beau visage.

Mauvaise comédienne à l'écran, Olga avait parfaitement réussi sa scène de séduction dans la vie. Elle avait senti l'impérieux besoin d'avoir une façade, un appui, en un mot un mari, au sein d'une existence ardente, tout entière consacrée au plaisir. Un nom honorable. A vrai dire, à cette époque, Russel n'était pas si puissant et sa fortune était modeste, mais malgré tout considérable pour cette figurante qui brûlait sa vie sans mesure et n'arrivait pas toujours à joindre les deux bouts.

Tout de suite, il s'était enflammé pour sa beauté, s'était laissé prendre comme un collégien à ses mines de chatte, attendri par de fausses confidences de « petite fille malmenée par la vie ».

Bien vite, il avait compris son erreur. La naissance d'une petite fille avait signifié : trop tard.

Oui, trop tard pour se séparer d'Olga, qui menaçait de garder Armelle, en cas de divorce. Russel avait voulu conserver un foyer à son enfant. Foyer traversé d'orages, de fugues suivies de réconciliations tapageuses.

Ayant cessé d'être dupe, Russel s'était réfugié dans le travail et il devait sa réussite, son immense fortune, paradoxalement, à ses désillusions.

Olga l'avait trompé sans retenue et sans pudeur, avec une insolence de fille qui prend sa revanche sur celui qu'elle a dupé. « L'imbécile!... » Un mot dont elle le qualifiait, comme si elle lui tenait rigueur de ses qualités morales de droiture et d'honnêteté, elle qui en était totalement dépourvue.

Son dernier caprice avait été un beau garçon rencontré au hasard d'un tournage, plus jeune qu'elle, le type même de la « tête brûlée ».

Perverse, elle s'affichait avec lui, sans s'apercevoir que son mari ne souffrait plus, qu'il avait atteint les limites du dégoût.

Mais, par un juste retour des choses, Olga s'était laissé prendre au jeu. A son tour, elle avait souffert, connu les tourments de la jalousie. Certes, elle était belle, mais le maquillage outrancier, la chaleur des spots, la vie trépidante qu'elle menait avaient entamé sa jeunesse. Moins sûre d'elle, elle luttait pour retenir un amour qui fuyait.

Un jour, ç'avait été l'accident. La chute d'un balcon de leur villa des Issambres, sur un sol de ciment. La mort avait été instantanée.

Les yeux toujours attachés sur le visage de l'enfant, Thomas Russel revivait son passé. Un germe levait dans son cœur et il restait émerveillé devant ce miracle. Mais des craintes l'assaillaient.

N'était-il pas trop vieux pour un nouvel amour? Déjà il s'affolait de ne pouvoir lui plaire. Machinalement, il promena sa main sur son profil irrégulier, ratissa son épaisse chevelure.

Armelle représentait un problème, car il adorait sa fille.

Comment tout concilier? Le problème était à deux

faces. Il ne voulait pas nuire à sa fille, mais n'avait pas
davantage le droit d'imposer le souci d'une enfant à une
très jeune femme.

Il ne pouvait chasser le souvenir de Maria. Qu'avait-il
à lui offrir, en échange de son éblouissante jeunesse? Un
cœur qui n'était pas neuf. Un potentiel d'amour qui
s'était usé...

Incurablement naïf, il négligeait son atout maître :
l'argent.

Il se pencha pour déposer un baiser sur le visage noyé
d'ombre. Un mouvement de l'enfant le repoussa. Même
dans son sommeil, sa fille ne l'acceptait pas. Parce qu'il
n'avait pas l'habitude des caresses. Sa tendresse pater-
nelle ne savait pas s'exprimer. Et son âme s'emplissait
d'amertume en pensant que tout ce qui brille en surface
attire davantage qu'un sentiment en profondeur. Olga,
avec ses rires, ses jouets, ses câlineries superficielles,
avait su se faire aimer. Pas lui.

Par-delà la mort, elle continuait à le faire souffrir, à le
déposséder.

Soudain, il eut du mal à retenir son image. Elle
mourait dans sa mémoire, de la pire mort qui soit :
l'oubli. Mais c'était aussi un pardon.

Une autre image prenait sa place, lumineuse et pure.
Un visage qui ne trichait pas, celui-là...

Apaisé, il quitta la chambre.

CHAPITRE VI

Une semaine s'écoula... Tous les matins, Maria guettait le courrier avec une impatience croissante. Elle s'inquiétait, remuait des pensées pessimistes. Loin d'elle, happé par le rythme incessant des affaires, Russel l'avait oubliée. Pourtant, avec un sûr instinct féminin, elle croyait bien l'avoir touché en plein cœur.

Se serait-elle donné tout ce mal pour rien? Un scénario si bien construit! Pitoyable conclusion...

Son travail s'en ressentait.

Ce soir-là, elle était particulièrement triste. La porte battait sur les entrées et les départs. Le sempiternel rythme. Les phrases connues : « J'ai retenu une table au nom de... »

Les petites lampes dessinaient des ronds d'opaline sur les nappes blanches. Une futile atmosphère de luxe. La rumeur des conversations.

Maria inaugurait un deux-pièces bleu pastel qui adoucissait sa blondeur. Une nuit d'insomnie soulignait ses yeux d'un léger cerne mauve.

... Soudain, elle l'aperçut! Au seuil de la porte-tambour, il parcourait la salle d'un œil anxieux.

Maria s'efforça de ne pas tourner la tête, de ne pas montrer sa joie. Rien n'est plus difficile quand on est la proie d'une vive émotion.

Cependant, Russel venait à sa rencontre. Ils se

retrouvèrent face à face. L'instant était critique. Si trop de hâte n'était pas souhaitable, montrer trop d'indifférence était également maladroit. Le juste milieu.

— Avez-vous retenu, monsieur? s'enquit-elle avec un sourire qui n'était pas tout à fait commercial.

Il appuya sur elle son regard gris.

— Non. Je rentre à l'instant de voyage et ma première visite est pour vous.

Elle dissimula son soulagement. Ainsi, c'était l'explication de son inquiétant silence : un voyage.

— Dois-je comprendre que toutes les tables sont retenues et que vous me mettez à la porte? ajouta-t-il en souriant.

— Il y a toujours une place pour vous. Combien êtes-vous?

— Mais je suis seul...

Elle soutint son regard, y retrouvant, tout au fond, le même étonnement ébloui de l'autre soir.

— Suivez-moi...

Attentive à modérer l'allure, elle sentait le regard masculin appuyé sur sa nuque blonde.

— Je n'ai fait que penser à vous depuis notre rencontre, dit-il.

Murmure céleste. Un chant de gloire enflait dans son cœur.

— Cette table vous convient-elle?

— A condition que vous y preniez place.

— Mais c'est impossible.

Il secoua les épaules, en homme habitué à commander, à qui rien ne résiste dans le domaine de l'argent.

— Ce métier n'est pas fait pour vous.

Réprimant un sourire, elle parvint à prendre un air de dignité très réussi.

— Je gagne ma vie...

Tout à fait la réponse et l'attitude qui convenaient à la circonstance.

— Nous parlerons de tout cela...

Une hésitation.

— Quel est votre jour de congé?

— Demain.

— Parfait.

On eût dit qu'il réglait une affaire. C'était le meilleur moyen qu'il avait trouvé pour camoufler sa timidité, son manque d'assurance dès qu'il était question de sentiments.

— Accepterez-vous de dîner avec moi?

Elle s'accorda une courte hésitation. Surtout, ne pas avoir l'air de sauter sur l'invitation, comme si elle n'attendait que cela...

« Ni facile ni oie blanche », s'était-elle imposé.

— Très volontiers.

Elle avait réussi à faire passer dans sa voix une émotion pleine de pudeur.

Par contenance, il s'était assis, consultait machinalement la carte.

— Je vous conseille...

— Aucune importance, je n'ai pas faim. J'étais venu uniquement pour vous voir. Servez-moi n'importe quoi...

— Maria, on a besoin de vous au 3...

A nouveau, le travail l'accapara. Mais c'était dans un état d'esprit différent qu'elle l'accomplissait. Son destin était ailleurs. Un destin brillant, digne d'elle. La revanche de sa mère...

Quand Russel se déclarerait-il? Avec un tel homme, cela pouvait aller très vite. A présent, son jeu était facile. Elle n'avait plus qu'à affûter sa beauté, se rendre désirable et attendre l'heureuse conclusion.

Rapidement, Thomas Russel avait expédié son repas. Fasciné, il suivait des yeux le chignon d'or, piqué de flèches lumineuses, qui oscillait au caprice de la marche, tel un feu follet.

Il s'étonnait d'aimer comme si c'était la première fois. Plus un cœur est blessé, plus vite il peut guérir.

Le sentiment qu'il éprouvait pour Maria avait un son plus grave, les racines en étaient plus profondes. D'avoir été trahi l'avait rendu, du moins le pensait-il, plus sage et clairvoyant. Il trouvait en lui une ardeur nouvelle, des trésors d'amour insoupçonnés.

Olga l'avait séduit, mais elle ne l'avait pas attaché, ni retenu. Bien vite, il n'avait éprouvé pour elle que mépris, indifférence.

Il ne l'avait pas même détestée. Elle était morte avant de mourir.

Après avoir fixé l'heure et l'endroit du rendez-vous, Thomas Russel s'en alla, heureux comme il ne l'avait jamais été.

L'exaltation amoureuse avait gommé la ride verticale qui se creusait entre ses sourcils.

*
* *

— Vous êtes belle, Maria...

L'encens des compliments ne la troublait pas. C'était un hommage mérité.

La tête un peu penchée, souriante, Maria écoutait sans entendre, regardait sans voir, apaisée, sûre de son pouvoir sur cet homme réputé fort qui était tombé si facilement dans le piège.

Les rôles étaient inversés. C'est elle qui calculait, supputait, prévoyait. C'est lui qui rêvait, s'exaltait, s'évadait...

— Cet été, je vous emmènerai dans ma propriété des Issambres, sur la Côte. Nous ferons une croisière. Je débaptiserai mon yacht pour qu'il porte votre nom...

Projets délicieux. Elle s'imaginait dans cette villa splendide, au milieu des lauriers-roses et des bougainvillées. Une existence dorée dont elle avait farouchement rêvé, pour laquelle elle s'était gardée. L'expérience lui avait donné raison!

— Parlez-moi encore de votre maison, Thomas...

Ravi, il lui décrivait la plage blonde où ils s'étendraient côte à côte, les criques baignées de soleil, la terrasse surplombant la mer, où ils dîneraient, le soir, à l'heure douce des confidences.

Un royaume où elle régnerait sans partage, comme sur le cœur trop vite conquis de Thomas Russel...

Des vacances heureuses, comme elle n'en avait jamais connues. Par avance, elle se délectait du plaisir d'acheter des toilettes chères, des bijoux. Elle dépenserait sans compter, avec une volupté de revanche.

Le caractère de Russel, sa sauvagerie? Un gage rassurant pour l'avenir. Elle avait déjà étiqueté certaines qualités : travailleur, ordonné, sérieux, économe, ponctuel. Il était de la trempe des hommes fidèles.

— Maria, il faut que je vous fasse un aveu... Avant vous, j'ai aimé... Du moins l'ai-je cru. Ma femme était très belle, mais son âme était mesquine. Vous venez d'effacer jusqu'à son souvenir... Pourrez-vous aussi l'oublier?

Pauvre Russel... S'il avait su combien ce passé l'indifférait! D'un sourire, elle le rassura, avec la mine indulgente qu'on doit prendre en pareille circonstance.

— N'y pensez plus. Rien ne compte de ce qui est avant...

— Vous avez raison. L'avenir commence...

Confidences chuchotées dans l'intimité d'une auberge proche de Paris.

— J'ai une petite fille, Maria... C'est une enfant délicate et sensible. Elle s'appelle Armelle...

Elle abandonnait sa main, le laissait se griser de son parfum, de sa présence, l'esprit ailleurs, l'ambition satisfaite, comme une princesse lointaine.

Parfois, une ombre légère se posait sur son rêve. Une rapide inquiétude qui ne résistait pas aux merveilleuses réalités du présent : pourrait-elle un jour s'attacher à son mari?

Curieusement, cette facile victoire se retournait contre

lui. Elle le jugeait faible, vulnérable, oubliait ses
angoisses, les difficultés de la conquête. Un homme
soumis perd son prestige. Tout compte fait, un piètre
adversaire.

Il prit sa main, la porta à ses lèvres, sans provoquer
le moindre émoi sur cette chair tranquille, couleur
d'ambre.

— Dansons, voulez-vous?

Elle refréna un sourire de moquerie devant sa raideur
d'homme austère, peu habitué aux rythmes nouveaux.
Non pas qu'elle aimât particulièrement ce genre de
distraction, mais elle avait parfois dansé avec Patrick et
d'autres camarades de son âge. Les « jerks » endiablés
ne ressemblaient en rien à ce slow classique qui
convenait à la clientèle de l'auberge.

Une bouche se posa sur sa tempe, glissa jusqu'au coin
soyeux des lèvres. La main masculine resserra son
étreinte et elle finit par s'abandonner au rythme lent du
slow, le regard voilé par la blondeur des cils, bercée par
les mots pleins de ferveur chuchotés à son oreille.

Le feu de bois qui pétillait dans l'immense cheminée
de briques communiquait à sa peau un éclat rose. Des
étincelles d'or criblaient sa chevelure. En l'honneur de
cette soirée, elle avait abandonné sa coiffure sage,
étrennait une robe de cocktail en faille blanche qui
moulait sa taille souple. Sa triomphante beauté s'épa-
nouissait.

« Quand va-t-il se décider à faire sa déclaration en
règle? » pensa-t-elle en détournant légèrement la tête
pour soustraire ses lèvres au baiser.

Depuis quinze jours, ils soupaient ensemble. Après
son travail, Maria changeait de toilette. Au contraire de
Cendrillon, c'est à minuit qu'elle se parait pour la fête.
Le chauffeur attendait rue Pierre-Demours.

« Bientôt, vous quitterez cet emploi, Maria... »

Mais elle avait tenu à respecter son contrat, pour ne

pas mettre son patron dans l'embarras. Russel attendait-il cette échéance?

Ce soir, un pressentiment lui soufflait que la demande
ne saurait tarder. Jamais il ne s'était montré aussi
tendre, ni expansif. Jusqu'ici elle ne lui avait accordé
que des privautés légères, qui ne dépassaient pas le
cadre du flirt. Dosant ses faveurs, elle laissait les baisers
passionnés mourir dans ses cheveux, se dérobait aux
caresses trop précises. Éperdument épris, Russel ne
tiendrait pas longtemps à ce régime.

La danse s'acheva. Ils regagnèrent leur table. Un
sommelier respectueux versa le champagne glacé qui
pétilla dans les coupes.

Russel leva son verre.

— A notre rencontre, Maria. Au hasard qui l'a
permise...

Au fond, il ne parlait que de lui. Une passion à sens
unique. Rendu sauvage par des années de lutte solitaire,
il fonçait comme un collégien dans cet amour qu'il
n'espérait plus, sans se préoccuper de la réciprocité.
Tout autre que lui se fût inquiété du regard souvent
lointain de Maria, eût décelé l'indifférence sous les
sourires de commande. La passion de Russel se suffisait
à elle-même. Du moment que la jeune fille acceptait les
sorties, qu'elle ne se dérobait pas, il croyait son amour
partagé.

— Si nous rentrions, Thomas? Je suis lasse, tout à
coup...

Il s'empressa, la prit par le bras, en un geste de
possesseur.

Dédaignant la Rolls, pour la première fois, il conduisait lui-même une « Matra » rouge, extravagance
d'homme sérieux devenu subitement fou, comme sa
cravate voyante sur son costume sévère.

Avec une sourde volupté, Maria se renversa sur le
cuir fauve de la banquette. Le luxe lui collait à la peau.
Elle s'y adapterait très bien.

Sa tête parfumée s'abandonna sur l'épaule du conducteur. Ses cheveux glissaient comme une eau blonde le
long de son visage.

Russel conduisait en silence, les lèvres serrées, et elle
essaya de deviner ses pensées. Que méditait-il? Prépa-
rait-il ses phrases? Fallait-il l'encourager, ou, au
contraire, le laisser dans l'incertitude d'une réponse?

La voiture atteignit Paris. La place des Ternes. La rue
Pierre-Demours. La « Matra » s'immobilisa.

Brusquement, Thomas Russel se retourna.

— Maria, il faut que je vous parle...

Dans ses yeux, elle lisait sa victoire.

— Une chose sérieuse, Thomas?

— Très sérieuse...

Elle se laissa enlacer par des bras fémissants. Le
regard gris plongeait dans le sien. Un visage se
rapprocha, elle sentit le contact des lèvres chaudes sur
les siennes.

— Je vous aime, Maria...

Aveu si doux à entendre... Confirmation qui la
rassurait définitivement. Certitude de son pouvoir...

D'une voix enfiévrée, il continua :

— Je veux faire de vous la femme la plus riche, la
plus gâtée. La plus heureuse aussi... Acceptez-vous?

Elle buvait le lait du triomphe, marquait la fameuse
hésitation qu'elle s'était imposée pour donner plus de
prix à sa réponse.

Mais, déjà, il enchaînait, tandis qu'une ombre
inquiète dansait sur son visage :

— Je veux être sincère avec vous, Maria. Je n'ai pas
l'intention de refaire ma vie. J'ai pris cette décision près
de ma fille endormie. Je n'ai pas le droit de vous
imposer cette servitude. A côté de vous, je me sens vieux
et je ne veux pas qu'un jour vous regrettiez votre
décision d'avoir enchaîné votre vie à la mienne. Mais je
saurai vous chérir, vous combler comme aucune autre
femme au monde ne peut l'être.

Pâle jusqu'aux lèvres, Maria n'écoutait plus les promesses fabuleuses. L'impression d'une douche glacée, qui éteint le rêve.

Ce n'était pas l'aveu qu'elle attendait. Sotte, prétentieuse qu'elle était, de s'imaginer qu'il lui demanderait de l'épouser!

Échouer si près du but! Après tant d'intrigues, de contraintes! Quelle humiliation de s'être aussi grossièrement trompée sur les intentions de Russel!

Avec fermeté, elle se dégagea des bras qui l'enlaçaient.

— Non, Thomas, laissez-moi...

— Qu'avez-vous?

Avec inquiétude, il suivait les nuances du visage qui se fermait.

— Vous vous êtes mépris, Thomas. Votre fortune m'indiffère. Moi aussi, je vous aime... Mais, dans ces conditions, je préfère ne plus vous revoir. Je ne deviendrai jamais que votre femme...

Une belle tirade, que Patrick aurait qualifiée de cornélienne.

Elle ouvrit la portière avec une lenteur calculée, espérant qu'il se raviserait.

Mais il ne la retint pas. Résistant au désir de tourner la tête, elle appuya sur le bouton qui commandait l'ouverture de la porte. Un déclic. Elle se retrouva dans l'ombre du porche, le dos appuyé au battant de bois, se mordant les lèvres pour ne pas gémir.

La déception était rude. Elle avait joué, elle avait perdu. C'était de bonne guerre.

N'aurait-elle pas dû accepter ce qu'on lui offrait?

Se décidant, elle monta rapidement l'escalier, se jeta tout habillée sur son lit, mordant l'oreiller de fureur impuissante.

Oh! comme elle haïssait Thomas en cet instant! Une autre femme profiterait de sa fortune! La rage l'étouffait.

***

Quelle heure était-il quand Maria se réveilla, la tête lourde et la bouche amère? Une aube terne filtrait des rideaux mal joints.

Se levant péniblement, elle alla s'examiner dans le miroir. Avec lassitude, elle souleva la masse brillante de ses cheveux, étudia ses traits qu'une nuit agitée n'avait pas altérés. Elle pouvait être rassurée, sa beauté était intacte. Mais inutile.

Pour réfléchir plus commodément, elle s'installa dans un fauteuil, alluma une cigarette qui se mit à fumer toute seule au bout de ses doigts distraits.

Le visage dur, elle récapitulait. La situation était-elle désespérée? A moins d'abdiquer toute fierté, ce à quoi elle se refusait absolument, c'était à craindre. La déception avivait sa rancune envers celui qui l'avait causée. Elle rectifiait son jugement sur lui : ce n'était pas la proie facile qu'elle avait cru. En somme, il avait agi en homme d'affaires prudent.

Consultant l'heure, elle constata qu'elle avait peu dormi, renonça à se recoucher, se fit chauffer du café dans la minuscule cuisine. Elle ne prenait son service qu'à midi.

Avec amertume elle envisageait ce chemin qu'il faudrait reprendre, alors qu'elle avait cru le quitter pour toujours. En vain tentait-elle de se consoler.

« Il n'y a pas qu'un Russel au monde! »

Mais le cœur n'y était plus. Un ressort s'était brisé. Elle ne recommencerait pas deux fois une comédie de ce genre.

Ses pensées allaient vers Patrick. D'avance, elle imaginait sa raillerie affectueuse : « Je te l'avais prédit, ma vieille, qu'il y aurait un pépin! »

C'était un bon camarade, mais elle ne supporterait pas un seul instant ses sarcasmes. Elle avait la sensation d'être écorchée, de relever d'une longue maladie.

Revenant dans le studio, lovée au fond du fauteuil en buvant son café à petits coups, elle attendit le jour, anéantie, l'esprit vide de tout projet, méditant sur ce vers du poète : « Tout bonheur que la main n'atteint pas n'est qu'un rêve... »

*
* *

Il était midi, très exactement, quand ses pas martelèrent le bois usé des marches. Des ménagères la croisèrent et elle baissa la tête pour ne pas répondre à leur salut. Tout la blessait. Il serait temps, tout à l'heure, d'accrocher un sourire à ses lèvres, comme un accessoire de carnaval.

Un fin brouillard errait sur Paris. Il ne pleuvait pas vraiment. Une humidité pénétrante.

Au moment où Maria franchissait la porte cochère, un bras s'empara du sien. Une voix meurtrie chuchota à son oreille :

— Je vous demande pardon pour hier soir, Maria. J'aurais dû comprendre...

Elle regarda Russel. Il portait sur le visage les traces d'une nuit d'insomnie. La lutte l'avait épuisé.

— Acceptez-vous de devenir ma femme ? dit-il encore humblement.

Contre toute attente, alors qu'elle n'espérait plus, elle avait gagné !

L'émotion lui noua la gorge. Le choc la fit pâlir. Russel la suppliait ! Elle triomphait sans partage !

Sans répondre, incapable d'articuler le moindre mot, elle inclina la tête.

CHAPITRE VII

A partir de ce jour, l'existence de Maria fut transformée en un tourbillon de plaisirs. Tous ses rêves se réalisaient. Discrètement, Russel lui avait remis un chéquier en blanc avec sa signature, et elle passait ses après-midi chez les grands couturiers. Rien n'était trop beau ni trop cher. La Rolls et son chauffeur étaient à sa disposition. Elle avait choisi sa toilette de mariée et restait souvent les yeux fixés sur le splendide solitaire offert le jour même de sa demande par Thomas.

Sans compter, elle s'offrait les plus coûteuses fantaisies, avec une frénésie de gaspillage qui était une revanche sur des années de privations.

Pour son mariage, elle désirait une somptueuse cérémonie, n'osait pas s'en ouvrir à Russel qui, elle le devinait, aurait souhaité une union plus simple.

N'importe, elle triomphait insolemment et aucun nuage ne venait troubler cette félicité. Thomas était à ses pieds, soumis, émerveillé, rajeuni, amoureux comme un potache. Jamais la jeune fille n'envisageait leur existence sous l'angle sentimental. N'avait-elle pas choisi une fois pour toutes? Chacun ses goûts. Quant à elle, elle préférait le luxe à la médiocrité. Aux sentimentales, le cœur et la chaumière!... Elle s'accommoderait fort bien d'une vie mondaine, même si Thomas ne la partageait pas. Bah! il aurait ses affaires, pour l'occuper! Il continuerait à gagner l'argent qu'elle dépenserait.

Elle avait fait connaissance avec la petite Armelle. Après un instant d'hésitation, l'enfant s'était jetée dans ses bras, attirée par cette belle jeune fille dont la seule présence éclairait la maison. Russel avait assisté à la scène avec un singulier mélange de soulagement et d'amertume. Il suffisait donc à une étrangère d'être jeune et jolie pour s'attirer les bonnes grâces de sa fille, alors que lui, malgré ses efforts, n'avait rien obtenu?

La date de la cérémonie avait été fixée. Quelques jours d'attente qui lui paraissaient une éternité.

Dans la fièvre des préparatifs, ils se voyaient peu, dînaient dehors ou se retrouvaient le soir dans le sévère appartement de la rue Octave-Feuillet. Régine était entre eux. Maria n'aimait pas cette femme, l'examen perspicace de ses yeux intelligents.

Par la suite, elle se promettait d'inciter son mari à s'en séparer.

Thomas Russel était heureux. Tous ses scrupules s'étaient envolés. Est-ce que cela comptait, treize ans de différence? Il recommençait sa vie, repartait à zéro.

Ce jour-là, il avait décidé d'offrir une parure de saphirs à Maria. De la teinte exacte de ses beaux yeux. La Rolls s'engagea dans la rue de la Paix, en direction de la place Vendôme, quand tout à coup...

Russel sursauta, cogna furieusement contre la vitre.

— Arrêtez, Germain!

Son regard infaillible, ce regard d'acier à qui rien n'échappait avait conservé l'image d'une certaine silhouette fuyant dans le soir brumeux.

Rue de la Paix, un jeune photographe prenait des clichés, proposant ensuite aux passants un petit carton avec un sourire engageant.

Une association d'idées s'était faite dans son esprit.

— Arrêtez!

Obéissante, la longue voiture se rangea le long du trottoir, sans souci des panneaux d'interdiction.

Thomas Russel jaillit de sa banquette, se dirigea à

grands pas vers le jeune homme qui braquait déjà sur lui son objectif.

Un signe énergique de dénégation. En quatre enjambées, Russel fut près du garçon. Était-il victime d'une ressemblance? Non.

Un déclic joua dans sa mémoire. Il retrouva le visage furtivement entrevu, ce visage typé, si caractéristique avec ses hautes pommettes, la fente noire et brillante du regard, la frange de jais qui en accentuait la forme triangulaire.

Avant que le jeune homme ait pu esquisser un geste de défense, une main de fer s'abattit sur son épaule, l'agrippa solidement, tandis qu'une voix courroucée claquait comme une lanière :

— Jeune voyou! Je vous retrouve enfin! Suivez-moi immédiatement!

Pétrifié, Patrick reconnaissait Thomas Russel! Sous l'effet de la stupeur, il perdait toute présence d'esprit, ne pensait même pas à nier. Il chercha à se dégager, n'y parvint pas. Son appareil avait roulé à terre.

— Suivez-moi! répéta Russel d'un ton menaçant.

Très ennuyé, Patrick cherchait désespérément un moyen d'échapper à cette étreinte de fer.

— Vous êtes fou! Qu'est-ce qui vous prend? protesta-t-il faiblement.

— Ah! Je suis fou? Nous nous expliquerons au commissariat!

En un éclair, Patrick entrevit les conséquences de l'aventure. Que dire, que faire, pour se disculper? Nier tout en bloc? Il était trop tard. Russel n'accepterait pas ses mensonges.

— Écoutez, monsieur Russel, balbutia-t-il, l'esprit en déroute.

L'autre eut un sursaut d'étonnement. L'ombre envahit ses yeux.

— Comment savez-vous mon nom?

— Je... vous... la presse parle souvent de vous, monsieur Russel.

— Elle parle peut-être de moi mais ne publie jamais une photographie. Je m'y suis toujours opposé.

La voix était froide, tranchante. C'était pire que la colère de tout à l'heure. Comment se sortir de ce guêpier?

— Vous permettez que je récupère mon appareil?

— Dépêchez-vous.

L'oreille basse, Patrick obéit. Que faire d'autre? D'autant plus que l'esclandre avait attiré des badauds, qui faisaient cercle autour d'eux.

— Avancez maintenant.

La portière s'ouvrit.

— Montez, ordonna sèchement Russel en poussant le jeune homme dans la voiture. Inutile de nous donner en spectacle!

Tassé sur la banquette, la mine penaude, Patrick échafaudait des explications qui ne résistaient pas à la logique. Soudain, Russel lui paraissait redoutable.

Avec appréhension il coula un regard anxieux vers son compagnon qui ne le quittait pas des yeux.

— J'attends vos aveux...

La voix tranchait les mots, comme un silex.

— Que... que voulez-vous savoir?

— Tout! Et pas de mensonges surtout! Je vous préviens que cela aggraverait votre cas.

Mentir? Si seulement Patrick l'avait pu! Mais il en était incapable. Il n'espérait pas tromper Russel. Empêtré dans sa jeunesse sans expérience, il ne savait que faire. Son imagination ne lui était d'aucun secours devant ce terrible homme qui avait un implacable visage de justicier. En vain tentait-il de se rassurer :

« Même s'il faut tout lui dire... En fait, ce n'était qu'une plaisanterie sans méchanceté... »

Mais la plaisanterie tournait au drame. Il le pressentait, devant le regard chargé d'orage braqué sur lui comme un impitoyable projecteur.

— Je vais vous aider, reprit son tourmenteur avec une ironie glacée. Pour commencer, racontez-moi en détail votre agression.

Rouge de confusion, Patrick fit un effort pour reprendre contenance.

— Je... je n'avais pas mangé depuis huit jours... je n'avais plus un sou... alors, j'ai guetté... une femme seule... Je lui ai pris son sac... mais j'avais l'intention de lui rendre l'argent, je vous le jure...

— Quelle somme y avait-il dans ce sac?

— Euh!... je m'en souviens mal. Quelques billets...

— C'est curieux. La victime, que j'ai secourue par la suite, m'a affirmé qu'on ne lui avait pas volé d'argent. Ou presque pas.

Était-ce à dessein que Russel avait appuyé sur le mot « victime »?

— A quelle adresse auriez-vous renvoyé l'argent volé, une fois votre appétit satisfait?

— Je... j'avais trouvé une carte de visite...

— Joli roman-feuilleton, apprécia Russel d'un ton glacial. Eh bien! il ne me reste plus, après avoir enregistré vos aveux, qu'à vous remettre aux mains expertes de la police, mon jeune ami. Vous leur répéterez ce que vous venez de me dire. Je suis témoin.

— Mais je suis innocent!

La protestation lui avait échappé. Soudain, il se sentit saisir par le col de son pull-over. Russel serrait jusqu'à l'étouffer. Un sourire cruel faisait grimacer ses traits. Sa voix dure martela :

— Maintenant, petit, à nous deux! Tu vas me dire la vérité! Tu entends? Toute la vérité! Je le veux! Je l'exige! Au besoin, je te la ferai sortir par la force!

A moitié étranglé, Patrick était terrifié. Et cet idiot de chauffeur qui restait impassible à son volant, sans se retourner!

— Écoutez, monsieur Russel...

— J'écoute. Je ne demande que ça d'ailleurs.

— Ce n'est pas ma faute... ce n'était qu'une plaisanterie.

— J'adore les gags. Un vrai pince-sans-rire. Continue...

Cette voix métallique lui donnait l'impression de subir un interrogatoire au troisième degré. Comme un criminel.

Il ne s'illusionnait plus. L'autre prenait très mal cette affaire.

— Maria est mon amie... une chic copine...

— Je n'en doute pas un seul instant.

Les doigts se crispèrent plus étroitement sur le col chiffonné.

— Ne m'étouffez pas, gémit le garçon.

— Je m'en garderais bien, car cela me priverait d'entendre la fin de ton intéressant chapitre à suspense.

Patrick ne pouvait pas savoir le choc que le nom de Maria venait de porter à l'adversaire. Certes, Russel se doutait d'une histoire de ce genre. Mais la confirmation le frappait en plein cœur.

— Tu disais donc que Maria était ton amie...

— Oui... Elle voulait faire votre connaissance. Alors, on a imaginé « ça ».

— Très ingénieux, mais développe un peu ce « ça » qui m'intéresse prodigieusement. Je veux des détails.

L'air piteux du garçon aurait attendri n'importe qui. Pas Russel. Il était trop douloureusement atteint. Après avoir cru à un providentiel hasard, il découvrait soudain un habile complot, minutieusement ourdi, qui prouvait un esprit cupide et calculateur. Une méprisable comédie. Comme elle avait dû rire en le voyant se précipiter à son secours, comme Don Quichotte sur ses moulins à vent !

Patrick avala sa salive.

— Eh bien!... heu... Je devais faire semblant d'atta-

quer Maria, au moment où votre voiture arriverait.
Vous vous êtes précipité...

— Et j'ai été profondément ridicule. J'espère que
vous vous êtes bien amusés au moins, tous les deux?

— Pas du tout... ne le prenez pas ainsi...

— Comment veux-tu que je le prenne?

Les mains s'étaient légèrement desserrées.

— Je vous assure que c'était sans aucune méchanceté.

— Mais avec préméditation...

La mine sombre, il évaluait la somme de mensonges
que Maria avait accumulés depuis cet instant-là. Il
pensait à ses sourires, à ses manières d'ingénue pour
l'aguicher... A leurs sorties, chaque mot était une
fourberie. Chaque regard une trahison...

Comme en un rêve lointain, il entendait la plaidoirie
du garçon :

— C'est vrai, elle n'aurait pas dû... mais elle désirait
tellement vous rencontrer...

Il réagit, comme s'il avait reçu un coup de cravache
sur une plaie à vif.

— Pourquoi?

Devant ce visage de violence, Patrick se recroquevilla
peureusement sur sa banquette.

— C'est moi qui vais répondre! Pourquoi une fille
aussi belle voudrait-elle faire la connaissance d'un
homme puissamment riche? L'évidence crève les yeux!
Il a fallu être un fichu imbécile pour tomber dans un
piège aussi grossier! Je comprends tout maintenant...

Sa voix se brisa une seconde, reprit avec une violence
décuplée :

— Surtout, ne va pas me dire qu'une jeune fille
comme Maria est tombée amoureuse du vieil idiot que
je suis, car je t'assomme!...

Subitement calmé, Russel abandonna sa victime,
croisa les bras, s'abîmant dans une profonde méditation
que Patrick n'osait troubler. Les traits durcis de Russel,
son masque figé ne laissaient rien présager de bon. Les

derniers espoirs du jeune homme s'envolèrent. Qu'allait-
il advenir de tout cela?

Russel ruminait une vengeance. Une punition à
l'échelle de la faute. Toute sa volonté se concentrait sur
ce but. Cette vengeance, il la voulait cruelle et raffinée.
Dent pour dent, œil pour œil.

Soit, il avait perdu la première manche. Il gagnerait la
seconde. Il s'était laissé berner comme un sot par une
petite rouée à la figure d'ange. Elle était pire qu'Olga,
jadis. « Je vous aime, Thomas... Je ne deviendrai jamais
que votre femme... » Hypocrite! L'ancienne blessure se
rouvrait, cette fois sans espoir de guérison. C'était fini.
Il était vacciné, à jamais dégoûté des femmes et de leur
duplicité. Le dernier coup est celui qui achève.

Un singulier sourire, qui tenait davantage du rictus,
errait sur sa bouche.

— Monsieur Russel...

Prenant son courage à deux mains, Patrick le tirait de
sa songerie.

— Je voulais vous demander...

— De ne pas vous livrer à la police? Naturellement,
vous êtes libre.

Tiens, on ne le tutoyait plus... Patrick n'était qu'un
gosse. Son angoisse s'envola. Il sentit une détente.
Pourtant, il lui restait aux lèvres un goût de trahison.
Certes, c'était par étourderie qu'il s'était vendu. Ensuite,
c'était par crainte, affolement, qu'il avait continué. Mais
quand même... Par sa faute, Maria allait se trouver dans
une situation difficile...

Il se racla la gorge.

— Je voulais vous dire, à propos de Maria...

— C'est mon affaire. Je m'en occuperai.

— Soyez chic... ne lui dites pas que j'ai vendu la
mèche...

Un lent travail s'opérait dans l'esprit de Russel. Le
regard fixé sur le jeune homme, il ne répondit pas.
Encouragé par ce silence, Patrick poursuivit :

— Je l'aime bien, Maria. Je vous le répète, c'est une chic fille et je ne voudrais pas me fâcher avec elle. Cette confession, vous me l'avez extorquée. Ce n'est pas ma faute. Sans cette rencontre... Promettez-moi qu'elle ne saura jamais que c'est à cause de moi qu'elle a raté son mariage. Elle ne me le pardonnerait pas.

Il s'attendait à tout, sauf à voir rire son interlocuteur. Un rire qui était aux antipodes de la joie, qui résonnait diaboliquement, dont les échos le firent frémir.

Le rire se brisa net. Le regard vira au gris fer.

Une fois encore Patrick fut happé comme un fétu par une poigne puissante.

— Qui vous fait dire qu'il est raté?

Réfugié au fond de la banquette comme un dérisoire insecte, dominé par cette force méchante, Patrick, terrifié, ne comprenait plus. Cette histoire le dépassait.

— Ce mariage aura lieu! scanda la voix métallique. Mais une promesse en vaut une autre, mon garçon. Concluons un accord. Je garde le silence sur vos agissements, mais, de votre côté, je vous interdis de raconter un seul mot de notre entretien à Maria! S'il vous avisait de me trahir, soyez certain qu'il vous en cuirait!

A l'aspect convulsé du visage, Patrick n'en doutait pas un seul instant.

— Je vous défends de la prévenir!

Heureux d'en être quitte à si bon compte, un peu lâchement, il promit.

CHAPITRE VIII

Ce fut par un brumeux après-midi d'hiver, au froid rigoureux, que Maria, resplendissante dans sa toilette de dentelle, ennuagée de vison blanc, apparut au seuil de l'église. D'une allure de reine, elle descendit lentement l'escalier au bras de son nouvel époux. Une foule dense se pressait sur les marches, formant une haie d'honneur sur leur passage. L'âme dilatée d'une joie orgueilleuse, Maria sentait ces regards attachés sur elle, devinait les commentaires admiratifs et envieux.

Les journalistes les mitraillaient à bout portant, et cela lui fit penser à Patrick. Son absence l'attristait vaguement. N'était-il pas juste qu'il partageât les honneurs, après avoir été à la peine?

Pourtant, elle l'avait bien négligé, le pauvre, ces temps derniers.

A peine s'étaient-ils revus une ou deux fois. Le jeune homme semblait pressé, peu désireux de bavarder. Mieux même, il paraissait l'éviter. Elle lui avait trouvé un air bizarre. Son regard gêné avait fui le sien et il avait rapidement mis fin à leur conversation sous prétexte d'une course urgente. Ce zèle lui ressemblait peu. Blâmait-il son mariage? C'était bien dans sa nature. Instable, velléitaire, « girouette » comme disait Maria, il était bien capable de condamner ce qu'il avait aidé à réaliser. Bah! cela lui passerait. Et ce n'était pas la mauvaise humeur de Patrick qui pouvait gâcher un si beau jour! La consécration de son triomphe!

Elle risqua un coup d'œil vers son mari, dont le profil durement ciselé se découpait sur la grisaille de décembre.

Jusqu'ici, trop préoccupée par ses toilettes, Maria ne s'était guère souciée de l'humeur de Thomas.

« Laissez-moi tout organiser, lui avait-il dit. Je vous prépare une surprise. »

Brusquement elle s'avisait de son mutisme, de l'espèce de sombre détachement qu'il arborait depuis la cérémonie. C'était sans doute dans son tempérament taciturne. Il savait mal exprimer son bonheur. Pourtant...

Oui, pourtant, à la réflexion, il lui paraissait changé, depuis quelques jours.

Elle réfléchissait, en essayant de préciser l'instant avec exactitude. Depuis qu'il lui avait offert, un soir, une parure de saphirs si pareille à ses yeux...

Certes, il était toujours attentionné, courtois, mais comme absent. C'était une différence impalpable, qui venait moins de sa conduite que de l'expression de son visage.

Depuis qu'il avait fixé la date de leur mariage, ils se voyaient peu, et rarement seuls. Couturière venant donner un dernier point, tapissiers, décorateurs, sans compter Régine, qui leur infligeait son agaçante présence.

Plusieurs fois, Maria avait demandé :

— A quoi pensez-vous, Thomas?

Il avait ramené sur elle le dur rayon de ses prunelles absentes.

— A votre beauté, Maria.

Une indéfinissable menace dans la voix lointaine.

Mais qu'allait-elle s'imaginer? Maria avait fini par mettre cette attitude sur le compte des soucis d'affaires.

En vérité, une passion exigeante l'eût davantage contrariée. Elle préférait, par la suite, une certaine liberté. Au début, il lui avait donné l'impression d'un homme follement épris, jaloux, ombrageux du moindre hommage.

Il fallait croire que Thomas Russel était comme les autres. Une fois le rêve atteint, il s'y habituait...

Débordante de corbeilles de roses blanches, la Rolls les attendait, Germain au volant. Ils s'y engouffrèrent, sous les regards des curieux et l'éclair des flashes.

La voiture démarra...

Alors, seulement, Maria ressentit cette tristesse légère qui vous envahit toujours quand la fête est finie, que les lumières se sont éteintes et que les musiques se sont tues.

La cape de vison glissa de ses épaules. Instinctivement, elle se rapprocha de son mari, cet inconnu...

Timidement, elle lui toucha le bras.

— Où allons-nous?

Comme il semblait ne pas entendre, absorbé dans ses pensées, elle répéta sa question avec un soupçon d'impatience :

— Qu'avez-vous prévu?

Tout d'abord, elle avait été contente de se décharger sur lui de tous ces ennuyeux préparatifs qui ne concernaient pas sa toilette. Maintenant, elle s'irritait de cette conspiration de silence. Il s'était montré bien mystérieux. A toutes les questions de la jeune femme, il avait opposé ce sourire énigmatique qui ne le quittait plus :

— Ne vous occupez de rien, je me charge de tout.

Toutes ces cachotteries, qui l'avaient soulagée les premiers jours, finissaient par l'exaspérer. Et cette fameuse surprise dont lui parlait son mari...

— N'est-il pas temps de me dire où nous allons?

— A la maison.

C'était donc là l'explication de ce remue-ménage incessant? Aussitôt, Maria imagina un grand lunch,

avec de brillantes personnalités. Thomas la présenterait
à ses amis et relations.

— C'est une charmante idée, approuva-t-elle. Ce sera
plus intime que dans un quelconque salon... Mais
pourquoi me l'avoir caché?

Elle ramena le vison blanc sur ses épaules.

— Est-ce Régine qui s'est occupée des préparatifs?

Il se tourna enfin vers elle, et elle retrouva ce regard
pâli qui l'intriguait sans l'inquiéter vraiment.

— Aucun préparatif, Maria.

— Alors, la surprise dont vous me parliez?

Elle maîtrisait mal sa déception.

— ... Réside dans le choix de notre voyage de noces,
ma chérie.

— Vous voulez dire que vous n'avez pas prévu de
réception?

— C'est exactement cela.

Comme elle restait interdite, il lui saisit la main, la
regarda au fond des yeux.

— En quoi cela pourrait-il vous contrarier? N'avez-
vous pas hâte d'être enfin seule avec moi, comme j'ai
hâte de l'être avec vous? Que vous importe les autres,
puisque vous m'aimez...

— Bien sûr, Thomas, acquiesça-t-elle mollement.
Mais les convenances...

— Je me moque des convenances! Notre amour ne se
suffit-il pas à lui-même? Je brûle d'impatience de vous
avoir à moi, tout entière. C'est pourquoi j'ai voulu
écarter les gêneurs. Seuls tous les deux, Maria! N'est-ce
pas notre rêve? Les amoureux sont seuls au monde...

— Certainement, balbutia-t-elle, décontenancée, vaguement effrayée par ces propos passionnés qui contras-
taient avec la glace du regard.

« Quelle idée saugrenue! » pensait-elle, dominant à
grand-peine son irritation.

Son plaisir était gâché. Néanmoins, elle s'efforça de
faire bonne figure. Conciliante, elle questionna.

— Parlez-moi un peu de ce voyage de noces.

— Je vous l'ai dit, c'est une surprise.

— En Europe? Plus loin? La montagne?

A chaque question, il secouait négativement la tête.

— Un pays chaud?

Pourquoi son œil brillait-il d'une étrange gaieté?

— Oui. Un pays de soleil.

— La mer?

— Oui, la mer... Avec une plage rien que pour nous... Mais ne m'en demandez pas davantage, c'est assez.

La mer... Le soleil... Ça lui suffisait. Les Issambres, peut-être, avec la plage privée? Mais quel bizarre caprice que d'en faire un mystère!

A demi satisfaite, elle ne dit plus rien jusqu'à la rue Octave-Feuillet.

**

La nouvelle femme de chambre vint leur ouvrir. Le vaste salon, tapissé de satin vieil or, où l'éclat voilé des lampes luttait avec le crépuscule, paraissait vide et triste.

La jeune femme secoua la pénible impression qui l'assaillit. Sa rancune envers son mari s'en aviva. Alors qu'elle aurait tant souhaité une brillante assemblée, il lui offrait une solitude à deux qui, dans son optique, équivalait à une preuve d'amour. Des preuves de ce genre, elle s'en serait volontiers passée!

Résignée, elle dédia un sourire un peu crispé à son compagnon.

— Je vais me changer, Thomas.

— Très bien. J'espère que la décoration de votre chambre vous plaira. Annette va vous y conduire.

Sur le seuil, elle s'immobilisa, hésitante.

— Comment dois-je m'habiller?

Rien ne se déroulait comme elle l'avait espéré. A l'avance, elle prévoyait un dîner dans un de ces restaurants de luxe où Thomas lui débiterait des mots d'amour. Comme s'ils n'avaient pas tout le temps, par la suite, d'être ensemble!

— Une robe simple. Nous ne sortons pas.

Elle s'abstint de poser une autre question. L'inquiétude griffait son cœur. Une sensation confuse...

Une heureuse surprise l'attendait. Sa chambre ressemblait à un écrin précieux. Qui avait choisi ces tentures délicates, ce lit-corbeille recouvert de fourrure blanche? Une coiffeuse en bois de rose. Un nécessaire de toilette en vermeil. Cette découverte atténua un peu sa désillusion. Quel bizarre caractère que celui de son mari... Peut-être avait-il trop longtemps vécu seul, replié sur lui-même?

Agacée, elle congédia la femme de chambre et entreprit de se dévêtir. Se regardant dans le miroir, elle reprit de l'assurance. Jamais elle n'avait été plus belle. Une beauté qui s'exaltait dans le luxe. Sa robe de mariée glissa à ses pieds, comme une corolle meurtrie. Dépossédant sa magnifique chevelure, elle enleva son diadème de brillants.

Quelle jeune fille n'a rêvé à cet instant? Mais elle chassa ces pensées romantiques. L'attitude de son mari la préoccupait.

Elle ne le reconnaissait plus. Quelle mouche l'avait piqué? L'amour comporte-t-il toujours ce fond de tyrannie? C'était la confirmation de ce qu'elle avait toujours pensé. L'amour n'apportait que trouble et souffrance.

Sur le point de choisir une robe dans la penderie surchargée de toilettes, elle marqua une hésitation. Se rappelant les conseils de son mari, avec indifférence, elle passa une robe de lainage bleu.

Puis elle s'assit devant sa coiffeuse. Finalement, agacée, sans coquetterie, puisqu'il n'y aurait personne pour l'admirer ce soir, elle groupa sa chevelure en chignon, comme à l'habitude, avec juste la fantaisie de deux frisons d'or sur les tempes.

Elle achevait de piquer les épingles quand on frappa. Sans attendre de réponse, Thomas Russel entra. Il enveloppa la jeune femme d'un regard critique.

— Ai-je bien suivi vos instructions, mon seigneur et maître? demanda-t-elle, en s'efforçant d'adopter un ton badin.

— Parfait. Êtes-vous prête?

Malgré sa bonne bolonté, elle était impuissante à se défaire du malaise indéfinissable causé par la seule présence de son mari. En vain s'efforçait-elle de déceler les causes de sa métamorphose. Que s'était-il passé? La responsabilité lui en incombait-elle?

— Puis-je enfin connaître vos intentions, Thomas?

— Oui. Nous partons.

— Où cela?

— Vers ce pays de soleil dont je vous ai parlé, ma chérie.

— Mais... quand partons-nous?

— Tout de suite.

— Vous voulez dire... ce soir?

— Oui, sans tarder.

Il consulta sa montre-bracelet.

— Germain nous mènera à l'aéroport. Nous devons y être dans une heure. J'ai pris les billets. Tout organisé.

— Mais je n'ai rien préparé! s'affola-t-elle.

— N'emmenez que le strict nécessaire. Vous achèterez tout sur place.

— Ce départ n'est-il pas un peu précipité, Thomas?

Il lui sembla qu'une lueur d'ironie flottait dans les yeux gris.

— Ne partagez-vous pas mon impatience, ma chérie? Maintenant, dépêchez-vous...

— Que dois-je emporter?...

Il réprima un geste d'agacement.

— Je viens de vous le dire. Le minimum. D'ailleurs...

Son air ironique s'accentua.

— Il est toujours recommandé d'adapter ses toilettes

aux coutumes et au climat du pays où l'on va. Là-bas vous trouverez tout ce qui est approprié à la vie que vous mènerez.

— Vous avez décidément une étrange façon de faire des surprises, Thomas.

Son regard clair qui la transperçait lui donnait mauvaise conscience tout à coup.

— Dépêchez-vous! répéta-t-il.

Sans insister davantage, elle se résigna à prendre un grand sac de cuir dans lequel elle empila des accessoires de toilette. Une brosse au manche d'argent ciselé, des flacons de cristal. Un cadeau de Thomas...

Deux robes. Une paire de chaussures... Elle avait imaginé autrement son départ! Des valises bourrées à craquer, Annette s'empressant pour l'aider...

Ses yeux se posèrent sur le coffret dans lequel, tout à l'heure, elle avait enfermé ses bijoux.

Perplexe, elle leva les yeux. Thomas devina ses pensées.

— Emportez vos bijoux, Maria. Si cela peut vous faire plaisir...

Ce ton condescendant lui déplut davantage qu'un refus nettement exprimé. Elle avait l'impression d'être devant un étranger.

Qu'était-il d'autre?

Sans un mot, elle prit l'écrin contenant la parure de saphirs.

Pour dissiper sa mélancolie, elle imagina les petites boutiques où elle aimerait flâner, en choisissant les dernières robes de plage, les colifichets amusants. « Vous trouverez tout sur place », avait dit Thomas. N'avait-il pas raison?

— Régine n'est pas ici? demanda-t-elle en rangeant le dernier mouchoir.

— Je l'ai envoyée quelques semaines à la montagne, avec Armelle.

Brièvement, il ajouta :
— Pressez-vous.

**

Pendant le trajet, ils n'échangèrent aucune parole. Dans l'ombre feutrée de la Rolls, Maria fixait pensivement son doigt, où brillait sa bague de fiançailles. Le magnifique solitaire jetait un feu triste. Ce diamant symbolisait la richesse. Il en avait l'éclat pur et glacé. Un frisson agita les épaules de la jeune femme. Tout à coup, elle avait froid. Un froid qui ne provenait pas de la température hivernale, mais un froid intérieur, qui prenait l'intensité d'un pressentiment.

**

L'immense aéroport bruissait comme une ruche. Une voix chantante annonçait les vols. Thomas Russel consulta le tableau d'affichage lumineux.
— Nous sommes légèrement en avance, commenta-t-il brièvement. Venez, allons prendre un verre au bar.
Son léger bagage à la main, Maria le suivit sans protester.
— Nous dînerons dans l'avion.
Dix minutes plus tard, annoncée par une petite musique, la voix mélodieuse se fit entendre : « Départ à destination de Madagascar. Vol Air France 457. Embarquement immédiat. Porte n° 30. »
— Venez, Maria.
— Nous allons donc en Afrique, Thomas ?
— Oui. Dans une île où j'ai des intérêts, au large de Madagascar. Nous ferons escale à Djibouti.
— Mais c'est une charmante idée ! Pourquoi ne pas me l'avoir dit plus tôt ?
Subitement, elle retrouvait son entrain. Pour elle, qui n'avait jamais voyagé, Djibouti, Madagascar, Tanana-

rive, tous ces noms évoquaient la magie des plages ensoleillées, des mers translucides aux récifs de corail. Ses craintes s'évanouirent. Cher Thomas...

Un petit car les mena jusqu'au Boeing. Russel avait retenu des places en première classe, en avant de l'appareil, derrière la cabine de pilotage. C'était la première fois que Maria prenait l'avion.

Le Boeing roula vers la piste, se mit en position de décollage. Le vrombissement terrible des réacteurs. Puis l'envol puissant vers le ciel.

L'hôtesse, en uniforme bleu et petit calot assorti, était ravissante, comme sa voix : « Mesdames et messieurs, le commandant Pélissier et son équipage vous souhaitent la bienvenue à bord... »

Le voyant rouge s'était éclairé, indiquant les consignes de sécurité.

Bientôt le Boeing franchit la couche nuageuse et vogua dans une apothéose de soleil. Au-dessous, moutons en laine de lumière, les nuages...

— On a l'impression d'être suspendus dans le vide, de ne pas avancer, dit Maria.

— L'avion vous plaît?

— Beaucoup. Je suis ravie.

Dans la travée centrale, le steward circulait avec un chariot chargé de boissons. L'hôtesse disposa devant les voyageurs les plateaux garnis de minuscules récipients.

— Voulez-vous du champagne, ma chérie?

Tout à coup, Thomas semblait avoir retrouvé sa belle humeur.

— Volontiers.

Il l'aida à desserrer sa ceinture.

— Ce n'est plus la peine à présent.

Elle retrouvait ses prévenances, sa voix d'avant. Quelle sotte idée s'était-elle fourré dans la tête! Thomas n'avait pas changé.

La jeune femme s'amusait de tout. Des sachets de poivre, de lait en poudre, des couverts de poupée.

— On dirait un repas pour liliputiens...

— Désirez-vous des cigarettes? Une liqueur?

Détendue, elle accepta en souriant, prise d'un bien-être délicieux, se laissant aller sur le siège moelleux.

L'hôtesse débarrassa les plateaux vides.

Envahie d'une douce euphorie, une cigarette blonde à la main, Maria questionna avec curiosité.

— Là-bas, n'est-ce pas l'été?

— Si. Notre mois de décembre équivaut à juillet.

— C'est merveilleux de pouvoir aller à la rencontre du beau temps. Le trajet est-il long?

— L'hôtesse l'a dit tout à l'heure. Treize heures de vol, je crois. Après une escale à Djibouti, nous arriverons demain matin à onze heures. Heure locale, bien entendu. Il y a un décalage de deux heures.

— Resterons-nous longtemps là-bas?

— Très longtemps.

Surprise autant par la réponse que par l'accent avec lequel elle était prononcée, elle fronça légèrement les sourcils.

— Qu'entendez-vous par là? un mois? deux peut-être?

— Je ne sais pas. Cela dépendra de vous... Six mois, un an... Davantage, qui sait?

Interloquée, elle écrasa sa cigarette dans le cendrier prévu à cet effet.

— Mais... et vos affaires, Thomas?

— Ne vous en occupez pas. J'ai pris mes précautions. Tout est organisé. D'ailleurs, je reviendrai de temps en temps à Paris.

Elle était trop étonnée pour assimiler le sens des mots.

— Et moi?

Le sourire aux lèvres, il se pencha tendrement vers elle, posa sa main sur son épaule.

— Vous, Maria, vous resterez.

Brusquement, la peur la reprenait, accrue. Une peur subtile, informe, qui changeait sa joie en cendre.

L'impression d'être prise dans un fin réseau de mailles d'acier.

Pourtant, Thomas Russel continuait à sourire, caressait son épaule, l'enveloppait tout entière dans le pâle faisceau de ses prunelles d'argent.

En vain s'efforçait-elle de se rassurer. La sueur mouillait son front. Elle aurait voulu crier.

Il se pencha un peu plus vers elle, emprisonna ses mains glacées dans les siennes.

— Qu'avez-vous, ma chérie? Pourquoi cette nervosité? N'êtes-vous pas heureuse d'être seule avec moi? Rien que nous deux, loin du monde et du bruit?

Elle restait tremblante, hypnotisée, sous ce regard magnétique dont il la couvait.

La main masculine remonta le long du cou gracieux, immobilisa le menton. Elle eut l'impression qu'il lui plongeait une dague en plein visage.

— Ne m'aimez-vous pas comme je vous aime, mon amour?

— Naturellement si, Thomas, répondit-elle faiblement, incapable de s'analyser davantage.

DEUXIÈME PARTIE

CHAPITRE I

L'îlot émergeait de l'Océan, comme une pointe...

Au fur et à mesure que le bateau approchait, Maria discernait la forêt sombre qui le tapissait, comme une fourrure.

Où Thomas l'emmenait-il?

Tout le long du voyage, elle n'avait cessé d'épier les nuances de son visage, pour tenter de deviner ses intentions. Mais le visage de Thomas était demeuré hermétique.

Puis, ç'avait été l'arrivée à Tananarive. Étourdie, dépaysée, elle s'était laissé entraîner dans le sillage de son infatigable compagnon, qui semblait avoir tout prévu, jusqu'aux moindres détails.

Un « Piper-Navajo » les avait d'abord conduits à l'île de Nossi-Bé, où, fugitivement rassurée, Maria avait cru qu'ils allaient séjourner. Bien vite elle était revenue de son erreur.

Ce n'était qu'une étape. Déjà Thomas l'avait poussée dans une voiture et ils avaient atteint le port. L'embarquement dans un petit bateau à moteur qui puait l'essence, crachotant une fumée noirâtre. Alors, elle avait risqué une faible question :

— Où allons-nous, Thomas?

— Nous arrivons, Maria...

Elle lui jeta un regard éperdu qu'il ignora. Un soleil

de plomb éparpillait des colonnes de feu sur la mer. Le vent chaud charriait un parfum sucré, entêtant.

Pourquoi se tourmenter? C'était peut-être une île de rêve où Thomas avait fait construire une superbe maison au bord d'une plage privée. La solitude n'est pas forcément une prison. Elle saurait s'en accommoder. Ne lui avait-il pas dit qu'il avait de gros intérêts ici? L'île devait lui appartenir...

Ils abordèrent dans une petite crique déserte, hérissée de rochers aigus. Russel l'aida à descendre, sans s'apercevoir que sa main tremblait dans la sienne. Maria le vit parlementer avec le marin. Puis le bateau s'éloigna...

C'était un peu comme si l'on avait coupé un ruban. Un dernier lien qui la rattachait au monde. Puérilement, elle avait envie de crier pour rappeler le bateau. Lui aurait-il obéi?

D'une poigne solide, son mari l'entraînait.

— Venez, Maria. Nous avons un bon bout de chemin à faire à pied. La marche ne vous fait pas peur, j'espère?

Elle serra les dents, réussit un sourire de défi.

— Pas du tout. C'est très bon pour la ligne.

— N'avais-je pas raison en vous conseillant de ne pas vous charger d'encombrants bagages?

— Tout à fait raison...

Oui, ses illusions mouraient une à une... Les petites boutiques « couture »? Les plages bariolées de parasols? La princière maison? Au lieu de cela, un sentier aride, à peine tracé dans la broussaille, qui montait durement à l'assaut de l'île. Une mince bande de sable grossier, bordée de cocotiers, qui disparaissait peu à peu, et cette pesante chaleur, humide, accablante, qui fauchait les jambes, poissait le corps de sueur, cet air irrespirable, où vibraient des insectes...

Quelle surprise l'attendait au bout de ce long chemin rocailleux?

Son pied buta sur une racine. Ses chevilles étaient

écorchées. Un serpent glissa entre ses jambes et elle s'agrippa au bras de son compagnon en poussant un cri de détresse.

— Courage, Maria, nous touchons au but.

Ils avaient presque atteint le sommet de l'île, couronnée d'une sombre verdure.

Brusquement le chemin s'élargit. Ils débouchèrent sur une sorte de plateau où s'éparpillaient les rares maisons d'un petit village. Elles se ressemblaient toutes et méritaient davantage l'appellation de cases. Toits de tôle ondulée, murs de pierres sèches. Au seuil des portes, des femmes au beau visage de bronze pilaient en cadence la nourriture dans des mortiers en bois.

Vêtus d'une simple tunique blanche, pieds nus, les hommes et quelques enfants conduisaient avec lenteur de maigres troupeaux composés de curieux bœufs aux longues cornes, bossus et décharnés.

Thomas Russel s'arrêta et sourit en désignant le village.

— Nous voici enfin arrivés au terme de notre long voyage, Maria.

— Où sommes-nous?

— A Nossi-Mango. Inutile de chercher sur une carte, vous ne trouveriez pas. Ici nous aurons tout le calme et la solitude désirables.

Elle le croyait volontiers! Où trouver un coin plus éloigné de toute civilisation, plus primitif, plus déprimant?

Du doigt il montra une maison un peu à l'écart des autres.

— Et voici notre demeure. Suivez-moi...

Que faire d'autre? Elle était trop lasse pour entamer une discussion. Comme une somnambule, elle le suivit.

Il poussa la porte.

— Entrez...

Une pièce noyée d'ombre, où se profilait un mobilier

rustique, réduit à sa plus simple expression : un buffet bas, une table ronde, quelques sièges.

Thomas Russel ouvrit la minuscule fenêtre, par où s'infiltra une chaleur poisseuse. Une poussière d'argent valsait dans la lumière. Puis il ouvrit une porte.

— Notre chambre, Maria...

Machinalement, comme un chaton peureux, elle était entrée à sa suite. Un lit plat. Une petite commode grossièrement sculptée. Pas même un miroir.

Quel rapport avec la luxueuse demeure escomptée? Elle était partagée entre le rire et les larmes. Rire nerveux, larmes de rage.

Un instant, elle se demanda si elle ne rêvait pas.

— Vous croyez que je vais habiter ici?

— Pourquoi pas, ma chérie? Une chaumière et un cœur...

Ces derniers mots, vibrant d'une ironie qu'elle ne pouvait plus ignorer, cinglèrent son orgueil, en provoquant une réaction salutaire. De passive elle devint révoltée. Sa rancune flamba comme une torche.

D'un seul coup, elle oublia sa fatigue, la brûlure de tout son corps, après l'épuisante ascension sous un soleil torride.

La vérité fulgura. Pour une raison encore inconnue, Thomas avait décidé de lui infliger cet exil! Elle ne l'accepterait pas!

Elle recula, frémissante, le visage étincelant de colère.

— Que signifie cette plaisanterie?

— Mais ce n'est pas une plaisanterie.

— Alors, appelons cela un traquenard! J'exige que vous me donniez la raison de votre étrange conduite!

— Où prenez-vous qu'elle est étrange? Je suis las des mondanités. Nous nous aimons. Pouvez-vous imaginer un endroit plus idéal pour une solitude à deux, loin des gêneurs?

Elle tremblait de rage impuissante. Le pire était qu'il n'avait pas tout à fait tort. Si elle l'avait aimé...

— Mais moi, je suis jeune et je ne suis pas encore lasse des plaisirs de la fortune! Libre à vous de vivre en ermite! Je ne partage pas vos goûts!

Il se rapprocha d'elle, et de son calme émanait une telle menace qu'il lui fallut toute sa fierté pour ne pas reculer, comme s'il allait la battre.

— Vous parlez de nos goûts... Que savons-nous l'un de l'autre, Maria? A part mon immense fortune, que connaissez-vous de mon caractère? Avez-vous un seul instant songé que j'avais une âme, comme tout le monde, et pas seulement un portefeuille? Votre beauté m'a ébloui, je l'avoue. Nous sommes deux étrangers. En vivant ici, dans cet îlot sauvage, loin de tout, nous allons enfin apprendre à nous connaître. Avez-vous besoin des autres?

Ces allusions à sa richesse la troublaient. Mais comment aurait-il deviné? Après tout, peut-être était-il sincère? Fou mais sincère.

— J'avais cru comprendre, quand vous me parliez de votre villa sur la Côte, que vous n'étiez pas hostile à une vie brillante.

— J'ai changé.

Intérieurement elle bouillait de rancune et d'indignation.

Elle essaya une ultime tentative de conciliation.

— Sans doute avez-vous raison, Thomas. Résumons : vous m'imposez une cure de solitude. Soit, je m'incline. Cela nous aidera peut-être à nous rapprocher, en effet.

N'avait-elle pas déjà employé une arme efficace pour le conquérir? La ruse. Elle s'en resservirait.

— Si vous me faisiez visiter le village? demanda-t-elle avec un faux enjouement. Il m'a paru fort pittoresque.

— J'allais justement vous le proposer, si vous n'étiez pas trop lasse.

— Moi? Mais je ne suis pas le moins du monde fatiguée! Je me sens en pleine forme, au contraire. Cette promenade m'a ouvert l'appétit. Vous m'indiquerez les ressources culinaires du pays.

Ils sortirent. La forêt dominait l'île. En contrebas, la mer scintillait, comme un ruban turquoise. Des pirogues effilées se balançaient au rythme des courants bleus. Les voiles blanches des « boutres » palpitaient aux alizés, comme des ailes.

Quelques volailles caquetaient et picoraient en liberté, dans une poussière fine, autour des cases.

Thomas Russel avait dégrafé sa chemise. Sans cravate, tête nue, il paraissait déjà bronzé, habitué au climat. Avec une aimable désinvolture, il distribuait des saluts au passage, s'exprimant soit en français, soit dans un langage inconnu.

— Bonjour, Boussamba. Et toi, Kamot, comment vont ta femme et tes enfants?

— Vous parlez leur langue? s'étonna Maria.

— Bien sûr. Le malgache est un idiome assez difficile à assimiler, mais très chantant et imagé. Vous l'apprendrez aussi.

« Si j'en ai le temps! » ragea la jeune femme. Mais elle continuait à feindre la bonne humeur, faisait mine de s'intéresser à tout.

— Quel est le caractère de ces indigènes?

— La plupart sont d'origine polynésienne. Ils sont doux et accueillants. Vous en jugerez par la suite.

— Vous m'avez dit que je trouverais sur place les affaires qui me manquent, dit-elle pour faire diversion, car ces incessants rappels l'horripilaient.

— Je vous emmène chez le marchand. Vous pourrez y faire toutes vos emplettes.

Le « magasin », si l'on pouvait appeler cela un magasin, différait à peine des autres constructions. Il était simplement un peu plus grand. On y vendait de tout. Bijoux de pacotille, colliers et bracelets d'ambre et de corail, objets sans valeur, chemises de toile rude, et des conserves aussi, divers aliments, comme dans n'importe quelle petite épicerie de campagne.

— Je vous conseille cette jupe et ce corsage de toile blanche. N'oubliez pas non plus un chapeau de paille, pour le soleil. Et des chaussures plates...

Elle avait une envie folle de provoquer un scandale, de jeter à la tête de Thomas toutes ces affreuses toilettes beaucoup trop grandes pour elle.

— Je suis vos conseils. Je prends cette blouse et cette jupe. Pour le chapeau, je ne crains pas le soleil.

— Vous avez tort. Il tape dur ici.

Elle étouffait dans cette bicoque et, les affaires choisies sur le bras, s'apprêta à sortir.

— Maria, vous oubliez le principal!

D'un bloc, les yeux brillants de larmes qu'elle retenait difficilement, elle lui fit face.

— Qu'ai-je oublié?

— Mais le repas, ma chérie. Qu'allons-nous dîner? Je vous l'ai dit, il n'y a qu'un magasin dans ce village.

Il continua, sans paraître s'apercevoir de sa pâleur :

— La viande est rare, il faudra vous accoutumer au poisson. Personnellement, j'en raffole. D'ailleurs, une nourriture légère est nécessaire sous cette latitude.

La marchande souriait, s'adressait à Thomas dans sa langue, empilait les effets qu'il avait lui-même choisis.

Des poissons inconnus se balançaient au bout d'une ficelle. Quelques mouches bleues se confondaient avec les écailles irisées.

Indécise, Maria regardait le poisson sans le voir. Un vertige la prenait. Un instant, elle crut qu'elle allait tomber.

— Un étourdissement? s'enquit la voix polie de son mari.

— Non, ce n'est rien... Je pensais...

— A quoi donc?

— Avez-vous pensé à trouver une domestique?

Il se mit à rire.

— Les femmes d'ici ont bien trop à faire avec leur propre ménage! Elles aident aussi les hommes à cultiver le riz... Non, ma chère, ne comptez pas trop sur une aide ménagère.

Les yeux de Russel scintillaient de plaisir.

— Aucune importance, nous nous en passerons!

L'esprit en déroute, elle choisit au hasard quelques boîtes de conserves, du poisson séché.

La marchande les aida à mettre leurs emplettes dans un grand panier de raphia. La jeune femme avait hâte de quitter cette échope qui sentait la vanille et diverses épices. Une odeur écœurante.

A peine avaient-ils fait quelques pas qu'une joyeuse exclamation les fit se retourner.

— Tom!

Maria aperçut une grande femme, coiffée d'un chapeau aux larges bords, qui portait un panier identique au sien.

Elle avait des cheveux châtains mêlés de fils d'argent, des yeux étroits et bruns, une grande bouche aux lèvres un peu fortes, retroussées sur un sourire cordial, un petit front effleuré de rides légères. Sans être jolie, elle possédait un certain charme.

— Tom! Vous ici! Par quel miracle?

— Aucun miracle, chère Béatrice. Le besoin de revoir cette île, tout simplement.

Les yeux un peu rapprochés de l'inconnue, brillants comme des perles de jais, se posèrent sur Maria. Elle interrogea Thomas du regard.

— Je vous présente ma femme, Béatrice.

D'abord rétive, Maria finit par répondre au sourire amical de la nouvelle venue.

— Le Dr Vernier est la providence de cette île, ajouta Russel.

Une ombre passa sur les traits de Béatrice Vernier. Elle regarda longuement la ravissante créature dont les

cheveux d'or encadraient un visage pâli. Le souvenir
d'un autre visage s'effaçait.

— Je suis heureuse pour vous, Tom, dit-elle avec
simplicité, sans cesser son examen.

Le Dr Vernier avait l'habitude de juger les gens au
premier coup d'œil. Intuitive et psychologue, elle était
douée d'une remarquable intelligence secondée par une
grande bonté. Ces qualités s'étaient développées dans la
solitude qu'elle s'était imposée depuis la mort acciden-
telle de son mari, dont elle avait partagé les activités.

Tout de suite, elle avait remarqué l'expression agres-
sive du joli visage, la colère en suspens qui assombrissait
le regard de saphir.

— Je suis certaine que vous avez bien choisi, Tom,
dit-elle avec gravité.

Puis elle reprit son air de franche gaieté.

— Êtes-vous ici pour longtemps?

— Probablement.

Ne craignez-vous pas l'ennui, pour une si jeune
femme?

— Quand on s'aime, on ne s'ennuie nulle part.

Songeuse, Béatrice chemina quelques instants en
silence près du couple. Bien vite, elle chassa la mélancolie que les paroles de Tom avaient éveillée dans son
cœur. Le passé était loin derrière. Tant qu'elle pourrait
servir aux autres, elle n'avait pas le droit de s'adonner à
des pensées débilitantes.

— Comment va Armelle? interrogea-t-elle.

— Très bien, je vous remercie?

— Quand êtes-vous arrivés?

— Ce matin. J'espère que nous nous verrons souvent,
Béatrice.

Elle éclata d'un beau rire.

— Où vous croyez-vous, Tom? Le moyen de faire
autrement dans cette île! Peut-on s'éviter?

— Est-ce un reproche?

— Vous savez bien que non, Tom. Vous êtes mon seul ami...

Ils restèrent quelques instants silencieux, unis par des souvenirs que Maria ne partageait pas.

Quel rôle avait-elle joué dans le passé de Thomas? Avait-elle connu la première Mme Russel?

— Voulez-vous partager mon modeste repas? proposa soudain la doctoresse.

Avait-elle deviné les soucis de la jeune femme?

Russel prévint la réponse de cette dernière.

— Non, merci, Béatrice, ce sera pour une autre fois. Maria est un peu lasse.

— Comme vous voudrez, Tom. Je pensais simplement que votre femme devait être un peu dépaysée, car le premier contact avec l'île est plutôt rude.

— Pourquoi serait-elle dépaysée avec son mari?

Le ton était agressif, mais il en fallait davantage pour intimider Béatrice. Elle connaissait Tom depuis longtemps.

— Parce qu'elle est très jeune, mon cher, et que les hommes ont toujours la fatuité de se croire indispensables! répliqua-t-elle en riant. Mais je n'insiste pas. Bonsoir, Tom. Bonsoir, Maria. Vous permettez que je vous appelle ainsi, n'est-ce pas? A demain...

La jeune femme n'hésita pas :

— A demain, Béatrice...

**

Le crépuscule envahissait le ciel, marbrait la mer de larges taches sombres.

Quand Maria pénétra à nouveau dans la case où elle allait habiter Dieu seul savait jusqu'à quand, son cœur se serra. Pourtant, l'orgueil, qui l'avait perdue, vint à son secours. Courageusement, elle posa son panier à ses pieds, s'informa en prenant un air dégagé.

— Où se trouve la cuisine?

— Par ici.

Il la précéda dans un réduit étroit. Un vieux fourneau bon pour la ferraille. A côté, un tas de bois. Maria, qui avait repris son panier, le posa sur une table qui constituait, avec deux chaises de paille, tout l'ameublement.

Indécise, elle regarda le fourneau. Comment s'y prendre? Jamais elle n'avait vu un engin pareil. Comment cuisiner dans ces conditions? Elle aurait dû y penser. Dans cet îlot rocheux, battu par les vents, il n'y avait ni gaz ni électricité. Russel avait allumé une lampe à huile qui éclairait faiblement la pièce d'une vacillante clarté, faisant surgir dans les angles des ombres inquiétantes.

Le sandwich du déjeuner était loin. Mais l'estomac contracté de la jeune femme refusait toute nourriture.

— Je n'ai pas faim, dit-elle, s'efforçant encore de faire bonne contenance, en un dernier sursaut de fierté. Et vous?

— Moi? J'ai l'estomac dans les talons au contraire.

Elle serra les dents.

— Je ne saurai pas allumer ce feu. Vous mangerez froid.

— Pour vous prouver que je suis un mari conciliant, je m'en contenterai. Par exception, naturellement. A l'avenir, je serai plus exigeant.

Posément il s'installa à califourchon sur une chaise et se mit à dévorer de bel appétit une tranche de poisson fumé. Quand il eut fini, il but un grand verre d'eau avec une évidente satisfaction, reporta son attention sur la jeune femme qui suivait ses faits et gestes d'un regard chargé d'orage.

— Venez avec moi.

Toujours muette, elle le suivit, comme un automate.

Ils traversèrent la pièce principale. Russel ouvrit la porte de la chambre.

— Entrez...

Il n'alluma pas la lampe. La chambre était à peine éclairée par la nuit bleue, qui enveloppait l'île, faisant peser sur elle un étrange silence feutré de bruits confus.

La voix de son mari fit sursauter Maria, plongée dans une méditation morose.

— Enfin seuls, ma chérie...

Deux mains se posèrent sur ses cheveux. Commencèrent à enlever les épingles du chignon, une à une.

La jeune femme semblait changée en statue.

Les mains parcoururent ses épaules, glissèrent le long de sa taille, la ployèrent sous une étreinte de fer qui la broyait.

Un visage descendit vers le sien, tandis qu'une voix dure martelait :

— Ma femme toute à moi, enfin... Oui, Maria. Ici, aucun autre regard ne pourra jouir de votre beauté. Aucun artifice ne pourra vous servir. Rien. La solitude. N'avais-je pas raison de vous conseiller de ne rien emporter? Vos toilettes, vos bijoux sont inutiles. Sur cette île perdue, toute la fortune du monde ne peut rien apporter. Elle ne sert à rien! Vous et moi... Personne d'autre... Pour toujours...

Elle avait épousé un fou! Ou bien Russel l'était devenu subitement! Il n'y avait pas d'autres explications!

— Vous êtes à moi...

Où était la passion fervente et respectueuse de l'homme qu'elle avait cru asservir à jamais?

Un tigre qui vient de poser une patte sur sa proie...

Alors, ses nerfs craquèrent. Épuisée par des alternatives de crainte et d'espérance, par cette interminable journée où elle s'était efforcée de garder une attitude paisible quand son esprit bouillonnait d'inquiétude, elle éclata. Une rébellion de toute sa chair. Jamais elle ne pourrait supporter un baiser de cet homme qui jouait avec elle comme le chat avec la souris, en un cruel rraffinement. Son seul contact l'électrisait.

— Lâchez-moi!

Les lèvres masculines étaient tout près des siennes. Cabrée, affolée comme un animal pris au piège, elle tentait de le repousser.

— Lâchez-moi!

Il avait légèrement reculé son visage, mais ses mains ne libéraient pas la taille rétive.

— Pourquoi repoussez-vous les baisers de votre époux, Maria? Vous étiez moins farouche pendant vos sorties. Et maintenant vous êtes ma femme, devant Dieu et devant les hommes, pour le meilleur et pour le pire. J'ai tous les droits...

— Pas celui de me torturer!

— En quoi les caresses d'un mari seraient-elles une torture?

— Non, je ne veux pas! Je ne veux pas! répétait-elle, frémissante, incapable de dire autre chose.

— Vous ne pouvez pas quoi, exactement? Vous n'êtes pas une ingénue, Maria. Je vous croyais plus forte, et surtout plus honnête. Quand on a conclu un marché, il faut en respecter les clauses.

Le mot lui fit dresser l'oreille.

— Quel marché?

Il éluda la question par une pirouette.

— Un mariage est toujours un marché, Maria. Chacun apporte ce qu'il possède. Moi, je suis riche, et vous, vous êtes si belle...

Elle se sentit rougir. N'avait-elle pas souvent mauvaise conscience? Mais jamais Thomas ne s'était douté...

D'un doigt il écarta les mèches blondes qui glissaient le long des joues, voilaient le regard bleu.

— D'une beauté qui m'appartient, puisque je l'ai achetée. Cessez donc de vous défendre, c'est inutile.

Il la serra plus fort et elle se retint pour ne pas crier. Les doigts durs la meurtrissaient.

— Que craignez-vous de moi? continua-t-il, la tenant

tout entière sous son regard dominateur. Rappelez-
vous... Ne suis-je pas un preux chevalier, défenseur des
femmes en détresse? Une fois déjà j'ai volé à votre
secours... Dans mes bras, Maria, vous êtes à tout jamais
à l'abri des agressions!

Cette fois, elle comprit! Le mot l'atteignit comme un
coup. L'évidence l'aveugla : Thomas Russel savait! Il
connaissait la vérité!

Comment l'avait-il apprise? Par quels moyens avait-il
découvert la supercherie? Et jusqu'à quel point était-il
au courant des détails?

Un bizarre soulagement succéda à sa stupeur. Au
moins les masques étaient-ils tombés. Il n'existait plus
de mystère. On allait pouvoir discuter, se battre à visage
découvert.

Redressant la tête, elle questionna froidement :

— De quoi voulez-vous exactement me punir?

Du tac au tac, il répliqua :

— De m'avoir épousé uniquement pour ma fortune.

Non, Thomas Russel n'était pas fou. En un sens,
c'était rassurant.

— Vous avez dit vous-même que le mariage était un
marché. Pourquoi m'en tenir tant de rigueur?

— Parce que vous m'avez joué la comédie. J'aurais
peut-être accepté une affaire honnête. Pas une tricherie.

— C'est Patrick qui m'a trahie, n'est-ce pas? devina-
t-elle avec amertume.

— Ne confondez pas! Dans cette aventure, c'est vous
qui avez tenu le rôle de Judas! Patrick, lui, n'était qu'un
accessoire sans importance.

— Connaissiez-vous la vérité avant notre mariage?

Elle aurait pu répondre pour lui, se rappelant l'instant
où il avait changé.

— Je la connaissais.

— Pourquoi m'avoir épousée, dans ces conditions?

— J'avais mes raisons.

— Je les devine. Vous vouliez vous venger, n'est-ce pas?

Il inclina la tête.

— Telle a été mon intention, en effet.

Il avait laissé tomber ses bras. L'un devant l'autre, calmes en apparence, ils étaient dressés comme deux ennemis, chacun essayant de deviner les pensées et les intentions de l'autre.

— C'est une vengeance lâche et mesquine!

— Je n'avais pas le choix des moyens. Une agression contre un exil. Ceci vaut cela. Nous sommes à égalité. Match nul.

— Je comprends à présent les raisons de votre attitude, le choix de ce lieu perdu, ce désir de me priver de tout. Mais cette vengeance vous coûte cher. Vous n'auriez pas dû aller jusqu'au mariage.

Dehors, un vent doux faisait frémir les feuilles, émiettait des parfums sur le petit village endormi.

— Comment envisagez-vous notre séparation, Thomas?

Un rire la cingla.

— Notre séparation? Il n'en est pas question! Quel motif invoquer?

— Celui-ci n'est-il pas suffisant?

— J'en suis seul juge. Je refuse le divorce.

— Je n'ai parlé que de séparation. Vous n'imaginez tout de même pas que je vais m'éterniser dans ce trou?

— Vous y resterez pourtant!

La colère la reprenait.

— Rien au monde ne pourra me retenir! Même si vous employez la force!

— La force ne sera pas nécessaire. Vous resterez ici pour plusieurs raisons, dont chacune se suffirait à elle-même!

— Comment comptez-vous m'y contraindre? le nargua-t-elle.

— Tout d'abord, l'île n'est reliée par aucun moyen

régulier de communication. Moi seul ai le pouvoir de donner un ordre. Ensuite, vous êtes bien trop orgueilleuse pour retourner en France après cet échec. Qu'expliquer aux gens? Quant à l'argent, vous n'aurez pas un sou de moi! Oseriez-vous reprendre votre emploi, après ce qui s'est passé? Grandeur et décadence! Non, Maria, ce n'est pas moi qui vous enchaînerai, c'est vous qui resterez de bon gré dans votre prison!

— Nous divorcerons! affirma-t-elle avec feu.

— Vous accepteriez de perdre le bénéfice de tant d'imagination?

— Quel bénéfice? De toute façon, rien n'est pire que de continuer à vivre à vos côtés!

— Vous ne divorcerez pas, Maria.

— Pourquoi donc, s'il vous plaît?

Brusquement, elle avait l'impression que l'avantage changeait de camp.

— Soit, vous refusez d'invoquer notre mésentente. Mais vous oubliez une seule chose, Thomas Russel...

Sûre d'elle, elle persistait, contente d'avoir trouvé le moyen de contourner l'obstacle.

— ... dans tous les pays du monde, un mariage blanc peut toujours s'annuler!

Elle crut l'avoir battu. Aucun muscle ne bougeait sur le visage masculin. Mais, au fond des prunelles grises, dansait cette petite lueur qui l'avait déjà tant inquiétée.

Il avança les mains.

— Pourquoi voulez-vous qu'il soit blanc, Maria?

* * *

La stupeur avait cloué la jeune femme sur place. Avant qu'elle ait pu esquisser un mouvement de retraite, les mains de Thomas Russel avaient repris possession de ses épaules.

Le visage étincelant, elle parvint à se dégager, se rejeta en arrière, frémissante.

— Ne me touchez pas! Je vous déteste!

Tous ses calculs, ses rêves de grandeur, étaient oubliés. En elle, une seule pensée dominait. Se soustraire à l'étreinte. Rien au monde, en cet instant, pas même cette fortune tant convoitée, ne lui aurait fait accepter un seul baiser de cet homme!

Comme d'impitoyables tenailles, les mains de Thomas se resseraient sur leur proie. Elles montèrent à l'assaut de la nuque fragile, raidie dans une farouche défense, emprisonnèrent la masse des blonds cheveux, la tira en arrière.

En vain se débattait-elle. Comment repousser cette force brutale? Un souffle brûlant parcourut son visage. Des lèvres chaudes prirent possession de sa bouche. Ce n'était plus le baiser timide de l'amoureux transi.

Sur le point de succomber, elle continuait à se débattre.

Le désir de Thomas Russel ressemblait à l'ivresse.

— Thomas, je vous en supplie, haleta-t-elle, à bout de force.

Mais il n'entendait rien. Aucune trace de tendresse sur ce visage de conquérant, déserté par le sourire. Aucune pitié. Il ne l'épargnerait pas.

— Pas comme cela, non, je vous en prie...

Inutile prière.

— Vous êtes ma femme, Maria. J'ai payé ce droit assez cher...

Ce furent ses dernières paroles. La lune inégale s'achevait. L'étoffe mince de la robe s'était déchirée, laissant apparaître les épaules neigeuses.

Maria eut un ultime sursaut quand il la porta vers le lit. Elle s'écroula comme on meurt, dans le ruissellement de sa belle chevelure qui traçait des coulées d'ambre sur sa peau nue.

A présent, elle gisait en travers du lit, offerte, vaincue. En une dernière fierté, elle refusait de fermer les yeux. Comme un aigle sur sa proie, il s'abattit sur elle.

CHAPITRE II

Depuis quand dormait-elle? En s'éveillant dans cette chambre inconnue, Maria se redressa péniblement sur un coude, regarda autour d'elle avec effarement. Ce pauvre décor... Les souvenirs lui revinrent et une intense rougeur envahit sa figure. Un sentiment de honte cuisante, intolérable.

En un geste d'instinctive pudeur, elle ramena le drap sur son corps nu, rejeta en arrière sa chevelure en désordre. Sa chair la brûlait.

Les mains croisées sur ses genoux repliés, elle s'absorba dans une déprimante songerie. Sur tous les points, elle était perdante. La chute était plus rude d'avoir cru tout gagner.

Mais Maria oubliait ses ambitions déçues pour ne plus penser qu'à l'affront infligé. Lui faudrait-il subir ces brutales étreintes d'un homme qu'elle détestait? Comment se venger, l'atteindre à son tour? Ils étaient à égalité, avait-il dit. Mais restait la « belle », cette troisième partie, une revanche qui les départagerait. Comment la gagner? Puisqu'elle n'avait plus aucune arme...

La seule qu'elle possédât, cette beauté dont elle était si fière, se retournait contre elle, en suscitant un désir détesté.

Son regard inspecta la pièce. Serait-elle obligée de

vivre dans ces conditions d'inconfort? Et jusqu'à
quand? La réponse, hélas, était claire : jusqu'au bon
vouloir de son tyrannique époux. Hier, il l'avait
possédée avec une frénésie d'homme dupé. Il était sans
tendresse ni pitié, ne renoncerait pas à ses droits, sans
pour autant lui faire une concession.

L'avait-il seulement aimée? Elle en doutait à présent.

Elle se décida enfin à se lever, ramassa la robe
chiffonnée.

Attenante à la chambre, il y avait une petite pièce
qu'elle n'avait pas remarquée tout d'abord. Certes, cette
pièce ne méritait pas l'appellation de salle de bains.
Mais enfin, on pouvait y trouver une table surmontée
d'une cuvette et d'un pot rempli d'eau. Elle y trempa ses
mains, aspergea sa figure de gouttelettes et, cette
sommaire toilette terminée, se décida à sortir. Elle
étouffait dans cette bicoque.

Le soleil était au zénith. Elle avait dû dormir
longtemps. Une espèce de torpeur écrasait le village. Les
femmes apprêtaient le repas, composé de riz et de
poisson. Les hommes revenaient de la pêche, torse nu,
tandis que la volaille caquetait en sautillant sur la
minuscule place, en compagnie de quelques chèvres et
de moutons maigres.

Conduits par des adolescents, des zébus traversèrent
la place pour aller brouter l'herbe dure des montagnes,
cette « bozaka » (1) dans le « bush » (2) épineux, qui
constitue leur seule nourriture.

Où était Thomas? Malgré la peur qu'il lui inspirait
désormais, elle recherchait sa présence, tant elle se
sentait étrangère et perdue, loin de tout secours, sur
cette terre hostile, dont elle ne connaissait ni la langue
ni les habitudes.

Elle marcha au hasard. Soudain, elle l'aperçut. Tête

(1) Herbe.
(2) Taillis.

nue malgré le soleil, cheveux au vent, il discutait avec des indigènes.

Il avait perdu cet air un peu guindé de « notaire de province », comme disait Maria en riant, au début de leur rencontre.

C'était un homme différent. Le climat devait lui convenir. Elle ne lui aurait pas supposé une carrure aussi solide, une telle endurance physique. Les muscles tendaient la toile de la chemise. Avec assurance, il donnait des ordres, le profil énergique, le geste bref.

Prise entre son ressentiment et sa peur de la solitude, Maria hésitait.

Soudain, une voix l'interpella amicalement.

— Bonjour, Maria. Comment s'est passé ce premier contact avec notre paradis perdu?

Surgie d'une case proche, sa trousse à la main, Béatrice Vernier était devant elle.

— Je... je suis un peu dépaysée...

— C'est très naturel.

La doctoresse s'empara familièrement de son bras.

— Je me demande ce qui a bien pu se passer dans la tête de Tom! A-t-on idée de choisir un tel endroit pour une jeune épousée!

Béatrice affectait une gaieté souriante, mais son regard vif observait avec beaucoup d'attention le visage de sa compagne.

Comme cette présence était rassurante! Tout à l'heure, dans son désarroi, Maria n'avait pas pensé au Dr Vernier.

— Il est vrai que cet îlot n'est rébarbatif qu'en apparence, continua Béatrice. Quand on sait l'aimer, c'est un véritable éden.

Elle fit un geste large qui embrassa l'horizon.

— Regardez, Maria... C'est l'heure tranquille où rentrent les pêcheurs. Ils sont partis dès l'aube, pour profiter de la fraîcheur. Et ils rapportent d'étonnants poissons à la chair savoureuse.

La main ferme entraînait Maria, qui se laissait docilement faire.

— Ici, les gens et les choses ne vous éblouissent pas. L'île a ses trésors, mais il faut les découvrir peu à peu.

— C'est peut-être un pays très pittoresque, répliqua Maria avec une amertume non voilée. Je vous concède encore qu'on peut s'y plaire un moment...

— J'y vis bien, moi...

Mais Béatrice Vernier préféra ne pas insister sur ce sujet, du moins pour le moment. Elle enchaîna par une boutade :

— En somme, il en est d'ici comme ailleurs. On y trouve ce qu'on y apporte, comme dans les auberges espagnoles !

Ne voulant pas donner un tour trop docte à ses conseils, elle se mit à rire.

— Le pays vous adoptera quand vous l'aurez adopté, Maria. Et puis il comporte tout de même quelques distractions. Vous pourrez vous baigner, vous faire brunir.

Maria évoqua la mince bande de sable gris, entrevue dans l'échancrure des rocs.

— Quand je pense aux plages en vogue qui sont tellement encombrées qu'on est obligé de marcher sur son voisin pour atteindre la mer ! Je vous assure, la sauvagerie est un avantage !

— Vous me paraissez douée d'une nature optimiste, Béatrice.

— Croyez-moi, ce n'est pas une grâce innée, mais le fruit de patients efforts.

— Je regrette si je vous ai peinée, dit spontanément la jeune femme.

— Plus rien ne peut me peiner. Depuis tant d'années, je suis si seule...

Tout en bavardant, les deux femmes étaient arrivées devant une maison blanche, pareille aux autres.

— Entrez, proposa Béatrice, que je vous fasse les honneurs de mon home.

La demeure, baignée d'une douce pénombre, était presque trop fraîche, par contraste avec l'air étouffant du dehors.

Elle était arrangée avec un goût un peu disparate. Des poteries de couleurs égayaient un bahut de bois sombre. Les murs étaient tendus de raphia sur lequel étaient accrochées de nombreuses photographies. Un désordre gai. Net. Qui ressemblait un peu à sa propriétaire.

— Asseyez-vous sur ce divan, je vais vous servir une boisson fraîche...

Maria s'appuya avec lassitude sur les coussins bariolés. Béatrice avait enlevé son chapeau de paille, rangé sa trousse. Elle disparut dans la cuisine, revint deux minutes après, installa deux verres remplis d'un liquide opalin sur une table basse, près du divan.

— A votre santé, Maria, dit-elle en élevant son verre. Bienvenue parmi nous, dans cette île que vous apprendrez peut-être à aimer...

Son perspicace regard brun ne quittait pas la jeune femme.

— A votre bonheur avec Tom, surtout... A la réussite de votre union...

La phrase déclencha la crise qui couvait. Auprès de cette femme qui avait réussi à lui inspirer confiance, Maria ne pouvait plus contenir le flot d'amertume qui la submergeait.

— Mon bonheur..., répéta-t-elle, tandis que des larmes glissaient sur ses joues.

Habituée à soigner les corps, Béatrice Vernier n'était pas moins habile à panser les plaies de l'âme. Dès le premier instant, elle avait pressenti une mésentente. Le comportement de Tom, qu'elle connaissait bien, n'était pas naturel.

La beauté de Maria lui avait causé une certaine mélancolie. Thomas s'était remarié... Sous l'amitié

profonde qu'elle lui vouait, couvait un sentiment plus
doux, où l'estime tenait la plus grande part. Mais elle ne
s'illusionnait pas. Jamais Thomas ne l'avait regardée
comme on regarde une femme. Elle était donc sans
espoir, mais ne pouvait s'empêcher d'espérer que, si
Tom ne lui appartenait jamais, du moins n'appartien-
drait-il à personne d'autre. Mais une femme était venue,
si merveilleusement belle.

Elle n'éprouvait aucune jalousie envers Maria, au
contraire. Puisque c'était celle que Tom avait choisie...

Mais elle ne comprenait plus...

Doucement, elle interrogea d'un ton ferme et plein de
pitié, de ce ton qu'elle prenait pour déceler les symptômes afin d'établir son diagnostic :

— Pourquoi n'êtes-vous pas heureuse, Maria?

En sanglotant, la jeune femme s'abattit dans les bras
compatissants.

— Je ne l'aime pas! Pas plus qu'il ne m'aime
d'ailleurs!

La doctoresse fronça les sourcils. Elle laissa passer le
plus gros du chagrin, reprit d'un ton conciliant :

— Allons donc! Je connais Tom depuis suffisamment
d'années pour savoir qu'il n'a pas agi à la légère en
refaisant sa vie.

Les épaules de Maria étaient secouées de sanglots.
Elle frissonnait, le visage en sueur. Des étourdissements
traversaient ses tempes douloureuses.

— Voyons, dit Béatrice en relevant le visage marbré
de larmes et en caressant les mains glacées. Faisons le
point. Qu'y a-t-il eu exactement entre Tom et vous?
Une dispute d'amoureux? Lequel de vous deux a tort?
Mon amitié pour Tom ne m'aveugle pas. Il a un satané
caractère. Vous a-t-il heurtée en vous refusant un
caprice? Depuis son veuvage, il a perdu l'habitude de
certaines délicatesses. Je parie que vous ne vouliez pas
venir ici...

Les yeux bleus brillèrent de rancune.

— C'est un monstre !

La doctoresse ne put s'empêcher de sourire.

— Voilà un mot qui s'applique mal à Tom. Votre rancune vous égare, chère Maria. Tout cela pour une légère mésentente... Ce qui m'étonne, c'est l'attitude de Thomas dans cette affaire. Il n'aurait pas dû vous imposer cet exil. Passe encore pour lui, qui aime ce coin sauvage. Mais une femme aussi ravissante que vous...

— Je ne veux pas rester ici ! Je ne le veux pas ! scanda farouchement la jeune femme.

Perplexe, Béatrice Vernier sonda le visage empourpré, l'éclat fiévreux du regard. Sous sa main, le pouls battait avec rapidité.

— Je ne connaissais même pas l'existence de cette île ! poursuivit Maria avec une croissante exaltation. Thomas m'a prise en traître ! Il ne m'a pas demandé mon avis ! Il m'y a enfermée comme dans une prison ! Pour me punir !

— Vous m'étonnez de plus en plus. Une maladresse, soit. Mais Tom est incapable de méchanceté. C'est l'être le meilleur, le plus loyal et le plus sensible que je connaisse. Le plus généreux...

Ces éloges eurent le don d'électriser la jeune femme. Elle éclata d'un rire strident.

— Bon ? Sensible, lui ? Oh ! Béatrice ! Si vous saviez !... Brusquement, les sanglots reprirent de plus belle. Sous l'effet du chagrin, Maria suffoquait littéralement, en proie à une véritable crise nerveuse.

La doctoresse alla prendre un verre d'eau, y versa quelques gouttes d'un calmant à base d'herbes, de sa composition, parvint à verser le liquide entre les dents serrées.

— Parlez, Maria. Parlez, dites-moi tout. Je sais garder un secret. Délivrez-vous. Je peux peut-être vous aider...

Maria comprit qu'elle avait toujours été seule, sans guide moral, ce qui excusait en partie sa faute.

Les mots sortirent en désordre de ses lèvres, en phrases saccadées, traversées de plaintes enfantines.

Peu à peu, à travers ce flot décousu, Béatrice reconstituait l'histoire. Sans risquer une parole maladroite, susceptible d'interrompre ces confidences, elle laissait s'épuiser de lui-même ce chagrin qu'elle comprenait à présent. Son expérience lui avait appris que plus on creuse une plaie, plus elle est facile à guérir par la suite. D'un mal peut naître un bien.

— Vous savez tout à présent, dit Maria d'un ton plus calme. Comment me jugez-vous?

Après un silence, elle dit avec une grande douceur, en détachant bien ses mots :

— Je n'ai pas à vous juger, Maria. Dans cette histoire, je pense plutôt que vous avez agi comme une enfant. Et je suis étonnée que Thomas, que je croyais si bien connaître, n'ait pas eu la même réaction.

Elle sourit, pour tenter de réconforter sa compagne.

— Séchez vos larmes. Tout problème comporte sa solution, à condition d'en envisager lucidement tous les aspects. Le vôtre ne me paraît pas insoluble, malgré certains points obscurs. Essayons de récapituler. Laissez-moi réfléchir...

L'esprit de Béatrice travaillait. A la rigueur elle admettait la colère de Tom, en apprenant la comédie dont il avait été le jouet. Elle comprenait encore sa réaction, qui était de punir sa femme par où elle avait péché. Mais une punition provisoire et légère. Une leçon qu'on donne à un être jeune. La première colère passée, n'aurait-il pas dû pardonner une comédie assez innocente, au fond? Sa brutalité pour faire valoir ses droits d'époux la déroutait également. Elle ne connaissait pas Tom sous cet aspect.

Pourtant, s'il s'était décidé à refaire sa vie, ce n'était pas sur un coup de tête. Une seule raison expliquait sa conduite...

Cette raison qui, comme la langue d'Ésope, est la pire et la meilleure... L'amour.

Elle sourit à une idée.

— Et il refuse la séparation! exhala la jeune femme, en une dernière bouffée de rancune.

— Je lui donne raison, pour une fois. Je suis persuadée que tout s'arrangera un jour entre vous, petite Maria.

— Je ne le crois pas! A présent, il me fait horreur!

Béatrice lui lança un regard singulier, mais ne commenta pas cette dernière phrase.

Comme se parlant à elle-même, elle murmura, les yeux lointains :

— Une première expérience l'avait déjà profondément meurtri...

Maria sursauta.

— Vous avez connu sa première femme, n'est-ce pas?

— Oui, j'ai connu Olga Russel.

— Parlez-moi d'elle...

— C'était une très belle créature. Une actrice en vogue. Thomas était jeune. Il a tout de suite été ébloui, fasciné... Cette femme le subjuguait. Pourtant...

— Pourtant?

— Je ne crois pas qu'il l'ait réellement aimée. A mon avis, il a surtout aimé une illusion, parant cette femme de toutes les qualités qu'il lui croyait. Très vite, Olga s'est révélée volage. Une âme creuse, uniquement préoccupée d'elle-même, de ses toilettes, de ses plaisirs. Une égoïste-née. Foncièrement perverse, aimant à faire le mal pour le mal. Si Thomas l'avait aimée...

Elle laissa sa phrase inachevée, rêva un instant, sourit avec courage.

— Quand on aime, Maria, on accepte l'être aimé tel qu'il est. Avec ses qualités et ses défauts. Je dirais même que ce n'est pas tellement « malgré », mais « à cause de »... Comprenez-vous ce que je veux dire?

— Oui, je crois comprendre. Mais moi, je veux rester

à l'abri des surprises du cœur! Je n'aimerai personne!
Jadis, ma mère a commis cette erreur et elle en est
morte!

— L'a-t-elle regretté?

Le rose de la fièvre fardait les pommettes de la jeune
femme.

— Je ne sais plus..., avoua-t-elle, très bas.

— Vous n'échapperez pas à la règle, Maria. Un jour,
vous aimerez. Tom et vous...

— Non, pas lui! N'importe qui, mais pas lui!

— Il faut attendre, petite fille. Seul le temps permet
de voir clair en soi et atténue les passions.

— Mais je ne pourrai jamais attendre ici! gémit
Maria.

— Pourquoi pas, si je vous aide? Allons, séchez vos
larmes maintenant. Pour commencer, je vais vous
trouver quelqu'un pour vous seconder dans les travaux
ménagers. Je connais une jeune fille dont j'ai soigné la
mère. C'est une jeune Malgache qui s'appelle Silissa. Je
vous l'enverrai dès ce soir.

— Mais Thomas ne voudra jamais...

— Ta ta ta... Laissez-moi faire, je m'en charge.
Quant à votre maison, il suffit d'un peu de changement
pour la rendre attrayante.

Vaguement soulagée, Maria écoutait la doctoresse
avec une reconnaissance étonnée.

— Je ne sais pas ce que je serais devenue sans vous,
soupira-t-elle. Je vous admire et voudrais vous ressem-
bler.

— Assez parlé sérieusement. Vous devez avoir faim.
Vous sentez-vous le courage, malgré la chaleur, de
m'accompagner jusqu'au magasin? proposa Béatrice.

La jeune femme tenta de se lever, mais retomba sur le
divan.

— Je ne me sens pas bien, dit-elle en portant la main
à sa tête.

En professionnelle, Béatrice dépistait les signes de la

fièvre sur la figure enflammée. Sa main énergique encercla le poignet délicat. Le rythme du pouls s'était accéléré depuis tout à l'heure.

— Hum! je vais vous ramener chez vous. Il faut vous étendre. Pour commencer, vous allez prendre de la quinine.

Appuyée sur le bras secourable, Maria regagna sa demeure. Thomas n'était pas rentré et elle en éprouva un grand soulagement.

Avec délices, elle s'abandonna aux soins diligents de sa nouvelle amie. Un liquide amer coula entre ses lèvres sèches. Elle sentit qu'on lui posait une compresse froide sur le front.

Puis elle ferma les yeux, attentive au rythme désordonné de son sang, glissant voluptueusement dans un abîme d'oubli.

Bientôt un visage se précisa dans les ténèbres. Elle reconnut Thomas Russel. Les bras étendus, poussant un cri déchirant, elle tenta de lui échapper.

Le délire commençait...

CHAPITRE III

Comment avait-il pu se conduire comme un barbare?
Cette énigme, Russel ne pouvait la résoudre.

Au matin, dégrisé, honteux, il avait longuement contemplé sa victime assoupie. Son départ avait ressemblé à une fuite.

Après avoir parlementé avec des indigènes, il avait marché au hasard des chemins pierreux, montant, d'instinct, se réfugier dans la sombre forêt qui couronnait l'île.

C'était la période chaude. Les vanilliers exhalaient une senteur douceâtre. Les lianes des poivriers s'entrecroisaient au-dessus de sa tête. Un « babakoto », petit singe de l'espèce des lémuriens, se glissait de branche en branche, à l'aide de sa queue préhensile. Un museau de « petit grand-père », avec un pelage noir et blanc. Un ours en peluche...

Mais rien ne pouvait distraire Thomas Russel de ses réflexions.

Quelle impulsion l'avait poussé autre que le désir? Non seulement cette brutalité n'était pas dans sa nature, mais encore n'avait-elle pas été préméditée. Elle ne faisait pas partie de la vengeance. Non, le désir n'était pas seul en cause. Il aurait pu se dominer. Or, il s'était acharné avec une violence féroce de guerrier ivre. Un instant, il s'était senti capable de tuer.

Pourquoi n'avait-il pas rompu, en apprenant la vérité?

Pourquoi avait-il épousé cette femme?

Par endroits, la forêt se dégradait, laissant la place aux « brûlis », ces zones de cendre qui s'étalaient comme une lèpre, détruisant l'invasion des arbres pour constituer un terrain propre à la culture du riz. Le piétinement des zébus achevait le travail des hommes.

Russel écarta une racine, reprit sa méditation.

Avec Olga, pourquoi ne s'était-il pas vengé? A tous ses affronts il avait opposé une dédaigneuse indifférence. Il ne la haïssait même pas.

L'histoire recommençait... Une seconde fois, lui, Thomas Russel, dont on admirait l'intelligence et la clairvoyance, s'était laissé prendre au mirage des apparences, de la beauté d'une femme, miroir aux alouettes où tombent les nigauds.

L'épreuve n'avait donc pas suffi? L'expérience n'aurait-elle pas dû le rendre méfiant, voire cynique?

C'était peut-être parce qu'Olga n'avait pas vraiment touché son cœur. Elle n'avait blessé que son amour-propre.

Il mettait ce second échec sur le compte de l'orgueil. Mais, au fond de lui-même, il savait qu'il se trompait. C'était faux. Le simple orgueil blessé ne cause pas cette souffrance. Ce n'était pas l'orgueil qui avait provoqué l'étreinte. C'était un sentiment puissant, exacerbé, intense, comme la haine ou...

Il s'immobilisa, refusant d'aller plus loin dans cette introspection.

Qu'allait devenir leur couple à présent? Jamais plus il n'aurait confiance en personne. Il redoutait la prochaine confrontation. Quelle attitude adopter? Un jour, ils quitteraient l'île. Lui rendrait-il sa liberté? A quoi bon la retenir? La punition n'avait plus d'objet. Dans tous les cas, il n'espérait plus être heureux.

Il regarda au loin. Au-dessous de lui, dans le gouffre

pâle de chaleur, la mer s'étalait, paisible nappe d'opaline, avec le mouchetis des embarcations légères, la
virgule blanche des voiles, le tracé sombre des courants
où le soleil creusait des reflets roses.

Pourquoi cette femme avait-elle eu le pouvoir de le
rendre fou de souffrance?

Un vent doux apaisant son visage. Les yeux fixés sur
l'eau lointaine, il rêva longtemps, sans trouver de
réponse à sa question.

*
*
*

Il fut étonné de trouver Béatrice chez lui.

— Maria est malade, l'informa-t-elle, sans préam-
bules.

— Qu'a-t-elle?

— Je ne sais pas encore. Une forte fièvre. Elle délire.
Venez...

A la suite de la doctoresse, il entra dans la chambre,
s'approcha du lit. Les yeux dilatés par un obscur effroi,
Maria ne semblait pas le reconnaître. Des mots sans
suite s'échappaient de ses lèvres.

— Béatrice, vous allez la guérir, n'est-ce pas?

— Bien sûr, Tom. C'est une fièvre due à la fatigue et
à la chaleur. Elle n'est pas habituée à ce rude climat.

Les mâchoires durcies, il refusait le remords.

— Elle présente aussi tous les symptômes d'un choc
nerveux. Je ne pense pas que ce soit une maladie orga-
nique, ni une quelconque piqûre d'insecte ou de serpent. Je l'ai bien examinée... Une insolation peut-être...

— Que dois-je faire? demanda-t-il humblement.

— Pour le moment, elle n'a besoin que de calme et de
silence. Une bonne dose de quinine et boire beaucoup,
pour ne pas bloquer les reins. Si l'accès se prolongeait,
j'aviserais.

— Ne puis-je aider à quelque chose?

— Il ne faut pas quitter son chevet. Nous nous relayerons.

— Je ne sais comment vous remercier, Béatrice.

Un gémissement plus fort les rapprocha du lit. Les pommettes rouges, Maria écartait le drap pour repousser une menace imaginaire :

— Non, Thomas, non, n'approchez pas!

Russel baissa la tête. Dans son délire, Maria continuait à le craindre et à le supplier.

— Béatrice, commença-t-il, je vous dois des explications.

Elle l'interrompit avec une tranquille autorité, sous laquelle couvait une indulgente pitié.

— Inutile, Tom, je sais tout.

Pour ménager la pudeur de Maria, elle précisa :

— J'ai tout compris en rajustant les phrases incohérentes prononcées dans le délire. Un médecin est un peu un confesseur.

Pour dissiper la gêne, elle annonça gaiement, avec une certaine malice :

— A propos, je me suis permis d'engager Silissa, pour tenir votre maison. Venez. Vous avez besoin de manger. Je vous trouve une mine de déterré. Secouez-vous, mon ami! Que ferais-je de deux éclopés au lieu d'un?

* *
*

Dans la nuit, le délire de Maria s'intensifia. Elle brûlait de fièvre. La température dépassa 40°. Sa jolie tête roulait dans le blond désordre de sa chevelure étalée.

Béatrice et Thomas se relayaient à son chevet, la faisant boire, essuyant la sueur qui perlait à son visage, renouvelant les compresses de son front.

Dans le cœur de Russel, l'inquiétude grandissait, devenait panique. Maria allait mourir, par sa faute!

— C'est grave, Béatrice, je le sens! Maria va mourir, n'est-ce pas?

— Mais non, Tom! Qu'allez-vous chercher! J'ai l'habitude de ces brusques accès, sous notre climat. Manqueriez-vous de confiance en moi?

— Non, mais...

— Tom, je vous jure que je fais le nécessaire. Je suis formelle sur ce point. On ne peut rien d'autre qu'attendre et espérer.

Il crispa ses poings.

— Attendre... Je ne peux pas. Je préférerais agir.

Il se plongea dans un mutisme farouche. Des insectes voletaient près de la lampe, loin du lit.

Soudain, son nom le fit tressaillir. C'était un cri déchirant :

— Thomas!

Craintif, il s'approcha du lit. L'épouvante déformait les traits purs.

— Je vous en supplie, ne me touchez pas, non! non!

Une crise plus violente que les précédentes s'annonçait. Discrètement, Béatrice quitta la chambre.

Penché sur la jeune femme inconsciente, Thomas Russel recevait ses paroles comme autant de coups de cravache.

— Vous me faites horreur! Je vous hais! Lâchez-moi! Brute!

A sa honte et à sa douleur, se mêlait toujours ce sentiment insaisissable qui avait guidé ses actes, dès qu'il avait appris la vérité. Maria le détestait. Il l'avait perdue pour toujours. Il en acquérait la déchirante certitude à travers ce véhément délire qui le torturait. C'est entendu, il lui rendrait sa liberté...

Il crut que cette décision allait l'apaiser. Au contraire, elle déclencha une fulgurante révélation!

Dans toute sa chair, il gardait la trace ardente de la possession. Pour ce seul instant, il ne regrettait rien.

Ses doigts tremblants écartèrent les longs fils soyeux qui rayaient le beau visage, comme un marbre.

Il l'aimait!... Malgré sa trahison, malgré tout, il l'aimait!

Le désir satisfait laissait place à une tendresse inconnue...

En même temps qu'il faisait cette terrible découverte, Thomas Russel acceptait le renoncement.

— Je vous déteste! N'approchez pas!

— Soyez tranquille, Maria, murmura-t-il, comme si elle pouvait l'entendre. Désormais, je ne vous toucherai plus...

CHAPITRE IV

Comme l'avait heureusement prévu le Dr Vernier, Maria guérit. Un matin, elle se réveilla, faible, amaigrie, mais sans fièvre ni agitation. La première personne qu'elle aperçut fut Béatrice, qui vaquait dans la chambre.

— Béatrice! Que m'est-il arrivé?

— Un accident banal. Vous avez attrapé une insolation. Voilà pourquoi, quand vous irez au soleil, vous porterez un de ces vieux chapeaux de paille dédaignés par coquetterie!

— Combien de temps ai-je été malade?

— Une semaine.

— Il me semble qu'il y a un siècle.

— Tout est relatif. Avez-vous faim?

— Il me semble, oui...

— Silissa va vous apporter un bon petit déjeuner.

La main transparente de la jeune femme retint celle de Béatrice.

— Je... je voudrais vous demander...

— Quoi donc, mon amie?

— Thomas...

— Votre mari, ma chère, s'est comporté comme tout homme en pareille occasion, c'est-à-dire qu'il a tournicoté comme un gros bourdon en cherchant à se rendre utile et qu'il n'a pratiquement pas fermé l'œil pendant huit nuits pour veiller sur votre repos.

— Comme c'est curieux... Ma mort l'aurait bien soulagé...

L'autre feignit de ne pas avoir entendu ces paroles désabusées.

Prenant une voix gaie, elle dit, en étudiant le visage pâli :

— Vous allez trouver votre maison changée. Silissa a fait du bon travail. J'ai contribué à transformer votre cuisine. Je vous en réserve la surprise. Et regardez votre chambre... Je me suis permis de l'installer à ma façon...

C'était vrai. En quelques jours, Béatrice avait su faire d'une cellule sans intimité une pièce claire et agréable. Tout était propre, gai, presque confortable.

— J'ai aménagé aussi un cabinet de toilette...

— Je voudrais me lever...

— Désir facile à réaliser, sourit la doctoresse. Appuyez-vous sur moi.

Maria fut étonnée de constater à quel point une semaine de lit avait pu l'affaiblir. Elle vacillait sur ses jambes comme un poulain nouveau-né. Tout de suite, elle se dirigea vers le miroir, passa une main inquiète sur ses joues.

— Ne suis-je pas devenue laide ?

— Affreuse !

— Soyez sincère. J'ai tellement maigri...

— Vous êtes plus jolie que jamais, petite sotte. Mais vous perdrez bien vite cette pâleur intéressante pour redevenir comme avant !

— Non, Béatrice, répondit la jeune femme d'une voix grave et troublée. Plus rien ne sera comme avant...

Faisant diversion, Silissa entra, apportant un appétissant plateau garni de café, de tartines et de fruits.

— *Sakafo maraina,* annonça-t-elle dans son parler chantant.

Pendant que Maria grignotait du bout des dents, à la

façon capricieuse des convalescents, la doctoresse s'assit à son côté.

— Chère Maria, j'ai échafaudé des tas de projets pendant votre maladie et j'ai une proposition à vous faire : voulez-vous m'aider?

— Vous aider? fit la jeune femme avec surprise. De tout mon cœur, mais comment? J'ai plutôt l'impression que c'est moi qui ai besoin de vous.

— Nous avons tous besoin les uns des autres. J'ai de plus en plus à faire dans ce village. J'aurais besoin d'une assistante. Acceptez-vous ce rôle?

— Mais je n'ai aucune notion de médecine!

— Vous me rendrez grand service en m'accompagnant dans mes tournées, en visitant avec moi mes malades. Surtout les enfants. Ils seront très sensibles à votre charme, j'en suis certaine. Vous les distrairez au moment d'une piqûre douloureuse ou d'une médication amère à avaler. A la période des vaccins, c'est toute une histoire pour les faire tenir tranquilles!

— J'accepte avec joie, chère Béatrice.

— ... je me croyais plus d'appétit, ajouta-t-elle en repoussant son plateau.

— Cela aussi reviendra très vite. Ne vous forcez pas. Laissez faire la nature...

Tout en parlant, Béatrice s'était levée. S'approchant de la fenêtre, elle avertit d'une voix volontairement neutre, comme s'il s'agissait d'un fait de peu d'importance :

— Votre mari m'a chargée de vous dire qu'il ne rentrerait que ce soir.

— Où est-il?

Rien que d'entendre prononcer son nom, elle tressaillit.

— Dans la montagne. Il règle certaines questions importantes pour la culture du riz, qui est à peu près la seule ressource de ce pays. Il a de grandes responsabilités dans cette île.

— En effet, il me l'a dit.

— Ce qu'il ne vous a certainement pas dit, c'est qu'il laisse aux habitants le bénéfice intégral de leur travail. Le surplus des récoltes contribue à alimenter ses usines de Tananarive, mais il paye si largement les ouvriers que son bénéfice est pratiquement nul.

— J'ignorais ce trait de générosité! commenta Maria d'un ton soudain acide. Quelles sont les autres ressources de la région? questionna-t-elle poliment, pour paraître s'intéresser à la conversation.

— Le riz, comme je viens de vous le dire... Un peu de patates douces, qui représentent la base de la nourriture, avec le poisson, la canne à sucre. Thomas possède aussi une usine sucrière. L'arbre à parfum, le ylang-ylang, fournit des essences précieuses dont vous vous servez, comme toutes les femmes coquettes...

— Ylang-ylang... c'est un joli nom.

— L'arbre ne l'est pas moins...

Tout en devisant, Maria s'était habillée. Ses forces lui revenaient peu à peu.

— Je voudrais sortir, Béatrice.

— Permission accordée. Si vous vous sentez assez forte, nous irons tout à l'heure visiter nos premiers malades.

***

Silissa avait dressé le couvert dans la pièce principale. Des compotiers de bananes, de fruits exotiques aux teintes violentes, égayaient la nappe de rabane. Un abat-jour atténuait une lumière un peu vive, mettait une note d'intimité.

Une appétissante odeur de cuisine filtrait d'une porte. Adroitement allumé par la jeune Malgache, le poêle remplissait son rôle de vieux et loyal serviteur.

La porte s'ouvrit soudain. Thomas Russel s'attarda

un instant sur le seuil, comme s'il n'osait entrer. Depuis une heure, Maria guettait son retour, habitée par le même sentiment : la gêne.

Ils se regardèrent. Russel était resté toute la journée sous un ardent soleil. Dans son visage cuivré, ses yeux prenaient un étrange relief. En quelques jours, ses cheveux avaient poussé. Drus, presque bouclés, ils descendaient sur les tempes, et cette coiffure le rajeunissait d'une étonnante manière.

Ce fut lui qui se reprit le premier. Pour masquer son émotion, il demanda, d'un ton neutre, voisin de l'indifférence :

— Comment allez-vous, Maria?

— Beaucoup mieux, grâce aux soins dévoués de Béatrice.

— Oui, c'est un excellent médecin et une amie d'exception.

— Elle m'a demandé de l'aider pendant ses visites et j'ai accepté.

— Vous avez bien fait.

Pour combler ce silence lourd de souvenirs qui se creusait entre eux, Maria dit vivement :

— Silissa a préparé le dîner. Nous pouvons nous mettre à table.

— Parfait.

Aucune allusion à la scène violente qui les avait opposés. Pas davantage de reproches, de remarques sur la présence de la jeune domestique, ni sur l'aménagement intérieur.

— C'est Béatrice qui a décoré les murs.

— Elle a eu raison. C'est beaucoup mieux ainsi.

Front baissé, pour échapper à l'examen du regard bleu, Russel mangeait machinalement, préoccupé par le futur, incapable de s'arrêter à une solution. Une idée fixe s'était implantée dans sa tête, comme un clou. Une idée déraisonnable, injuste même : ne pas perdre Maria. L'enchaîner par tous les moyens...

Excepté celui qu'il avait employé le premier soir : la force.

Mais quels autres liens pourraient la retenir, si elle n'y consentait?

Pareille situation ne pouvait se prolonger. D'autre part, il avait ses affaires, provisoirement sacrifiées sur un coup de tête. Tout devait rentrer dans l'ordre. Un jour prochain, il se verrait forcé de donner le signal du départ. Et ce jour-là Maria lui échapperait, serait perdue pour toujours.

— Béatrice est une femme charmante. Comment a-t-elle pu s'enraciner ici?

Tiré de sa songerie, il sursauta.

— Son mari y est mort. Elle continue sa tâche.

— Comment l'avez-vous connue?

— Ici même. Un jour, j'ai eu l'occasion de recourir à ses bons offices.

— Une insolation, comme moi?

— Non, dit-il brièvement.

— Quoi d'autre? insista la jeune femme.

— Une piqûre de serpent. Sans son admirable sang-froid, je ne serais pas ici ce soir en face de vous.

La voix baissa d'une octave.

— Après tout, je me demande si je dois lui en être reconnaissant...

Elle ne releva pas le propos amer.

— Il y a donc des serpents dangereux dans l'île?

— Rassurez-vous, il y en a peu. Pardonnez-moi de vous avoir effrayée.

— Comment cet accident est-il arrivé?

— Mapeto dormait à l'ombre d'un arbre. Le serpent était sur son bras. Je n'avais pas le temps de chercher un quelconque objet et j'ai dû me servir de ma main. C'est tout.

— Et c'est vous qui avez été mordu à sa place? Autrement dit, vous avez risqué votre vie pour sauver la sienne?

Il ébaucha un geste vague.

— Mapeto ou moi, quelle différence?

Maria ne répondit pas. Ces qualités qu'elle découvrait peu à peu chez son mari, surtout à travers les confidences du Dr Vernier, l'intriguaient et l'irritaient tout à la fois, en accentuant son complexe de culpabilité. Non seulement Thomas Russel possédait d'indéniables qualités de cœur et de courage, mais encore, physiquement, il était un tout autre homme, qui ne manquait pas de séduction.

— Béatrice m'a sauvé, conclut-il et depuis, nous sommes devenus les meilleurs amis du monde.

Un malaise continuait à régner entre eux, même sous les propos les plus anodins. Par un accord tacite, tous deux évitaient soigneusement la moindre allusion à un sujet trop personnel.

Silissa desservit la table. Puis, lorsque tout fut rangé, elle leur souhaita le bonsoir avec un large sourire :

— *Akory bianao, tompoko.*

L'instant redouté était venu. Ils étaient seuls...

Visage réfugié dans l'ombre, Thomas se mit à fumer, pour tromper sa nervosité. La même pensée les tenaillait. Le même souvenir. Rien ne pouvait faire que cette soirée n'en rappelât une autre. La nuit était pareillement bleue. La chaleur s'insinuait sournoisement dans la case. Des bruits identiques tapissaient le silence. Bourdonnement léger des insectes, vol feutré des oiseaux nocturnes.

— N'oubliez pas que vous êtes convalescente, hasarda-t-il, sans se retourner. Il faut aller vous reposer.

— Vous avez raison.

Elle n'avait pas sommeil. Lentement, elle se dirigeait vers la chambre, s'arrêta sur le seuil, indécise.

— Et vous, Thomas?

— Ne vous inquiétez pas pour moi. Pendant votre maladie, je me suis arrangé un lit très confortable dans cette pièce.

Elle eut un regard vers l'étroite banquette, sans se décider à entrer.

Il crut comprendre le sens de son hésitation.

D'un ton rageur il écrasa sa cigarette. Dérobant son visage, il dit d'un ton froid :

— N'ayez aucune crainte. Désormais, vous n'aurez plus rien à redouter de moi.

CHAPITRE V

Très haut, dans le ciel, un petit avion ronronnait dans une gerbe de soleil. Maria, qui suivait machinalement des yeux ses évolutions, se demanda soudain avec inquiétude ce qui lui arrivait.

Il tombait!... Non, il ne tombait pas... Brusquement, il opérait une savante volte-face, piquait droit vers le ciel, reprenait de l'altitude...

Un point blanc s'en détacha, s'élargit en corolle, concurrençant le vol nuageux des oiseaux des mers.

Le point se précisa, devint grande méduse blanche et la jeune femme reconnut un parachute.

Elle se mit à courir dans sa direction.

**

Haletante, elle arriva au moment où une forme se débattait dans un entrelacs de ficelles. Flasque, l'étoffe blanche ressemblait à la peau d'un étrange animal mort, échoué sur le rivage. Le vent continuait à l'entraîner. Une silhouette en surgit, fit sauter la sangle qui la reliait au parachute. Puis l'homme sortit son poignard et acheva de se dépêtrer les pieds des encombrantes ficelles.

Se redressant, il aperçut la jeune femme qui le regardait avec stupéfaction, prit le temps de tapoter ses

vêtements poussiéreux, de rengainer son poignard et
s'avança vers elle en souriant.

— Bonjours, dit-il, arrivé à sa hauteur. Je n'osais pas
espérer une telle chance! Être accueilli par la plus jolie
fille que j'aie jamais connue...

— Vous... vous n'êtes pas blessé? bégaya-t-elle, à
peine revenue de sa surprise.

— Pourquoi voulez-vous que je le sois? Ce n'est pas
mon premier saut, allez, j'ai l'habitude!

Il éclata d'un rire joyeux et la jeune femme, rassurée,
l'imita.

Le nouveau venu avait une trentaine d'années environ. Sa chevelure châtaine bouclait sur son front bombé.
Les yeux, enfoncés sous d'épais sourcils, étaient pareils
à deux éclats d'émeraude dans un visage tavelé, marqué
de fines cicatrices. Le sourire découvrait de solides dents
de carnassier. Une expression charmeuse corrigeait
l'imperfection des traits.

De taille moyenne, il était souple et mince, avec un air
décidé qui ne manquait pas de séduction.

— Qui êtes-vous? interrogea la jeune femme avec
curiosité.

— Serge Margane.

— Votre nom ne m'apprend rien, répondit-elle en
souriant.

— Parce que mon service de publicité est mal fait!
N'avez-vous jamais entendu parler du célèbre Margane?
J'apparais cependant sur presque tous les écrans du
monde!

— Je suis désolée, commença-t-elle en secouant
négativement la tête, mais...

— Ne cherchez pas! la coupa-t-il, le regard pétillant
de malice. Aucun générique ne me mentionne. Comme
les grognards de Napoléon, je suis un obscur, un sans
grade.

Il passa la main dans sa chevelure emmêlée.

— Mais pas sans dangers!

— Que faites-vous donc ?

— Cascadeur. J'ai doublé pas mal de vedettes, aux précieuses existences, en risquant la mienne. Bah ! J'aime le risque, surtout quand il est bien payé.

— Mais c'est un métier très dangereux !

— Rassurez-vous, âme sensible, reprit-il en lui dédiant un sourire charmeur, j'ai la « baraka » et ma peau est trop dure pour que la mort veuille de moi. Je serais capable de mettre la pagaille en enfer !

— Pourquoi avez-vous sauté ? Étiez-vous en perdition ou est-ce un exercice volontaire ?

La question parut l'embarrasser, il l'éluda par une boutade.

— J'avais une envie folle de faire votre connaissance ! D'en haut vous étiez si ravissante...

— Ne dites pas de bêtises. J'ai l'impression qu'on ne peut jamais parler sérieusement avec vous.

— Erreur profonde ! Essayez, vous verrez bien.

Désarmée par cette bonne humeur, cet entrain qui lui rappelaient Patrick, elle s'appuya au bras qu'il lui offrait.

— Et vous, belle dame... A mon tour de poser des questions ! Que faites-vous dans ce lieu désertique, indigne écrin de votre beauté ?

Elle rougit sans répondre, détourna les yeux.

Ils cheminèrent quelques instants en silence. Maria était intriguée et se réjouissait de cet événement imprévu qui allait mettre un peu de fantaisie dans son existence monotone.

Quoique, à vrai dire, elle ne s'ennuyait plus. Avec Béatrice, qui lui avait fait connaître les plus jolis coins de l'île, elle avait également découvert le plaisir de se rendre utile.

Sceptique au début, elle s'était très vite rendu compte que son amie avait raison en prétendant qu'elle pouvait l'aider. Les indigènes l'avaient adoptée. Elle s'amusait à apprendre quelques mots malgaches, enseignait à son

tour les rudiments de la langue française. Les enfants,
surtout, l'aimaient et l'admiraient. Leur gentillesse était
touchante. Pour la première fois de sa vie, Maria
s'intéressait davantage aux autres qu'à elle-même.

Son existence avec Thomas s'était organisée tout
naturellement. Ils évitaient les tête-à-tête prolongés,
restaient sur un terrain neutre.

Jusqu'à quand durerait cette trêve que chacun savait
fragile?

Parfois, en regardant à la dérobée le profil durci de
son mari, le sombre détachement qu'il arborait, en
constatant sa hâte à fuir sa présence, Maria pensait avec
amertume qu'il ne la désirait même plus. Étrange
contradiction du caractère féminin, elle s'en irritait
secrètement. Était-elle moins séduisante?

Le miroir la rassurait. Mais si la passion de Thomas
était morte, s'il avait abandonné ses projets de vengeance, qu'attendait-il pour donner le signal du départ,
de la séparation?

Aujourd'hui il était parti dès l'aube. Elle-même avait
eu une journée harassante. Béatrice pouvait être fière de
son auxiliaire.

L'arrivée originale de cet inconnu lui rendait soudain
une gaieté perdue.

Prise d'une idée subite, elle s'arrêta.

— Vous devez ignorer où vous êtes, sans cela vous ne
seriez jamais venu.

— Que non pas! J'agis rarement à la légère, belle
dame. Je suis à Nossi-Mango.

Sur le ton narratif, il dit, d'une seule traite :

— Nossi-Mango. îlot rocheux situé dans l'océan
Indien. Même pas signalé sur la carte. Population
réduite. Ressources à peu près nulles. Plaisirs plus nuls
encore. Plage seulement fréquentée par les requins et
autres squales de même acabit. Description exacte?

— Dix-huit sur vingt.

— Pourquoi pas vingt? Ai-je oublié quelque chose?
Ah! oui. J'ajouterai : pénitencier idéal.

Elle tressaillit.

— Pourquoi dites-vous cela?

— Pour rien, parce que c'est l'image que ces lieux
m'évoquent.

— Soyez gentil, je meurs de curiosité! Dites-moi ce
que vous êtes venu faire ici!

— Je vais vous satisfaire...

Mais elle ne l'écoutait plus. La silhouette de Thomas
venait d'apparaître au bout du sentier.

Elle étendit le bras.

— Voilà mon mari, annonça-t-elle, avec une certaine
appréhension.

*
* *

Immobile, bien campé sur ses jambes écartées, comme
s'il s'apprêtait à subir une attaque, Serge Margane
attendait Thomas Russel...

En quelques enjambées, ce dernier fut devant lui. Les
deux hommes se défièrent...

La physionomie de Russel exprimait une violente
fureur.

Inquiète et déroutée, Maria regardait alternativement
les deux hommes.

Russel parla le premier.

— Il sera dit que je vous trouverai toujours sur mon
chemin, Margane!

Très à l'aise apparemment, avec une désinvolture qui
frisait l'insolence, l'autre eut un sourire qui agit sur le
courroux de son interlocuteur comme un acide sur une
plaie à vif.

— Cette île est à tout le monde, je suppose? dit-il
avec une nonchalance étudiée.

— Peut-être, mais nul n'y aborde!

— Admettons que je sois l'exception qui confirme la

règle. J'ai toujours eu des goûts bizarres. Un vrai casse-cou.

— Comment êtes-vous venu?

— En parachute.

— Dans quelle intention?

Le rire narquois de Serge monta dans l'air léger.

— Mais, mon cher, vous me soumettez à un véritable interrogatoire! Nous ne sommes plus au temps de l'Inquisition!

Alarmée, la jeune femme suivait le dialogue sans comprendre.

Dans quelles circonstances graves les deux hommes s'étaient-ils connus?

— Vous ne vous en tirerez pas toujours par une pirouette! Pour venir ici, il faut un motif puissant. Je saurai vous arracher la raison de votre arrivée, espèce d'aventurier!

— Le mot ne me blesse pas, Russel. Je suis en effet un aventurier. N'est-ce pas aussi valable qu'un requin de la finance?

— Retirez ce mot!

— Si cela peut vous faire plaisir, volontiers.

Maria sentit venir la bagarre. Pensant arranger les choses, elle intervint.

— J'ignorais que vous vous connaissiez... Thomas, ne serait-ce pas plus courtois d'inviter M. Margane, au lieu de vous disputer pour un motif que j'ignore?

Serge lui lança un regard reconnaissant.

— Votre femme a raison, Russel. A quoi bon en venir aux mains? Pendant que j'y suis, mes compliments. Elle est absolument délicieuse.

Thomas ne désarmait pas, ne lâchait pas son idée. Il revint à la charge :

— Qui vous a dit que j'étais ici? Surtout, ne me parlez pas de hasard!

— Je n'en avais nullement l'intention. Ce n'est pas le hasard.

Il se campa plus solidement sur ses pieds, en une posture de conquérant.

— Comment j'ai connu à la fois votre mariage, votre départ précipité et le lieu de votre retraite? Mais le plus simplement du monde, mon cher. Par la seule personne qui était au courant.

— Régine?

— Oui, votre femme de confiance elle-même.

— Décidément, les femmes portent en elles le germe de la trahison, souligna Russel avec amertume.

— Vous devenez bien sévère. Ne blâmez pas Régine. Elle n'avait pas l'intention de vous trahir. J'ai su la faire parler, voilà tout. La jalousie aidant...

— Quelle jalousie?

— Ne faites pas l'innocent! Cette pauvre Régine vous adore en silence et a longtemps cultivé l'espoir que son dévouement serait un jour récompensé.

Russel haussa les épaules.

— Cessez de dire des sottises et répondez nettement. Que voulez-vous exactement?

Les yeux de Serge se rétrécirent. Deux fentes vertes, à la pupille inexistante.

— Que diriez-vous, Russel, d'un grand titre à la une de tous les canards? Je vois ça d'ici : « La lune de miel secrète du richissime Thomas Russel... » N'importe quelle agence de presse paierait cher pour avoir l'exclusivité de ce reportage! Et quand on est fauché...

— Vous avez besoin d'argent? interrogea brièvement Russel, les mains réfugiées au fond de ses poches, pour résister à la tentation de se ruer sur l'adversaire.

— On n'en a jamais assez. Un milliardaire comme vous ne peut pas comprendre. Au fait, vous avez raison. Votre femme me devait de l'argent. Elle m'a coûté cher! Une bagatelle, pour vous. J'espère que vous n'allez pas renier sa dette?

Thomas avait de la peine à se contenir.

— Un conseil, Margane. Allez-vous-en!

L'autre eut une mimique étonnée.

— Je le voudrais bien, mon cher. Mais comment?
D'abord, je n'ai pas de fric.

— Vous en avez eu pour prendre l'avion!

— Oh! Un ami riche, un type complètement cinglé!
Malheureusement, mon voyage en parachute ne comporte pas de retour.

— Vous n'avez donc rien prévu?

— Non. J'ai l'aventure dans le sang.

Thomas ne trouvait rien à répondre.

Serge Margane continua, de ce ton impertinent qui
excitait la fureur de l'adversaire :

— Je profiterai du même moyen de transport que
vous. Autrement dit, je ne partirai qu'avec vous! Car je
présume que vous partirez bientôt? Vous n'auriez pas
l'égoïsme d'accaparer la beauté de votre charmante
épouse pour vous tout seul? A moins que vous n'ayez
acheté un caveau de famille sur les hauteurs. Très jolie
vue, paysage pittoresque...

— Cessez vos plaisanteries déplacées, Margane,
sinon...

— Sinon?

Leurs regards s'affrontèrent. D'une voix plus grave,
Margane murmura :

— La passé est le passé, Russel. Ne pouvez-vous
l'oublier?

Au fond des yeux gris, soudain, un souvenir vacilla.

— Ce n'est pas le passé que je crains, finit-il par
répondre, avec une lassitude qui prenait le pas sur la
colère.

— Quoi donc alors?

— Partout où vous passez, Margane, il y a un
malheur...

— Superstitieux?

— Vous comprenez bien ce que je veux dire.

A nouveau, Maria tenta d'intervenir.

— Mais moi, je continue à ne rien comprendre! Je vous en prie, cessez vos discours, tous les deux!

Incertain, Thomas Russel regardait cet homme tombé du ciel qui personnifiait l'échec de son premier mariage. Au fond, qu'avait-il à lui reprocher? Ce n'était pas lui le coupable. Olga était volage, bien avant de le rencontrer. Qu'elle l'ait trompé avec celui-là ou un autre, quelle importance?

Pourquoi cette colère, alors que les infidélités d'Olga lui étaient depuis longtemps indifférentes?

Ce qui l'avait mis hors de lui, tout à l'heure, c'était la vision de Maria et de cet homme rapprochés.

Non, ce n'était pas le passé qu'il redoutait, mais le présent. L'avenir surtout. Une cruelle jalousie le poignardait. Si Maria ne l'aimait pas, au moins qu'elle n'aime personne!

En un sursaut de volonté, il parvint à reprendre son sang-froid.

— C'est bon, accorda-t-il d'un ton glacé. Venez boire un verre, Margane. Nous reprendrons cette conversation plus tard.

CHAPITRE VI

— Qu'avez-vous, Maria?

La jeune femme baissa la tête, pour fuir le regard perspicace de son amie. Mais c'était mal connaître Béatrice.

— Est-ce l'arrivée de ce garçon qui vous trouble à ce point?

Maria sursauta.

— Vous êtes au courant?

— Auriez-vous la prétention de garder un secret dans cette île?

— Ce n'est pas un secret, repartit vivement Maria, piquée.

— Alors tout est pour le mieux.

Béatrice affectait un enjouement qu'elle était loin d'éprouver.

— Tenez, Maria, ajouta-t-elle, sans insister. Prenez ce paquet et suivez-moi. Il est destiné au petit Houédé. C'est un vieux jouet qui m'appartenait lorsque j'étais enfant. Je l'ai rafistolé.

— Écoutez, Béatrice, si cela ne vous ennuie pas...

L'autre ne l'aidait pas, la laissait patauger.

— J'aimerais disposer de ma matinée...

— Thomas ne serait-il pas parti à la pêche, comme il en avait l'intention? demanda Béatrice avec une fausse innocence.

— Il ne s'agit pas de mon mari, riposta nerveusement la jeune femme. Mais de Serge Margane...

Maria expliqua, très vite, pour masquer son embar
ras :

— Il... il est un peu perdu dans ce pays, vou
comprenez... Alors, il m'a demandé de lui accorder cett
journée. Pouvais-je refuser ?

Sans répondre à la question, Béatrice demand
paisiblement :

— S'il ne s'y plaît pas, pourquoi est-il venu ?

— C'est bien ce que j'aimerais finalement savoir
avoua Maria avec franchise.

Béatrice se retourna d'un bloc.

— Je vais vous le dire, moi, ce qu'il est venu faire
Apporter le trouble et le désaccord, comme partout o
il passe ! Cet homme est dangereux, Maria ! Une têt
brûlée, un inconscient, de la pire espèce qui puiss
exister !

Jamais Béatrice ne s'était exprimée avec cette fougue.

— Vous semblez bien le connaître !

— Oui, je le connais.

— Alors, parlez-moi de lui...

Béatrice attacha un regard pénétrant sur sa com
pagne.

— Vous lui portez un grand intérêt, me semble-t-il...

Tout à coup, son cœur se serrait sous l'empire d'u
douloureux pressentiment. Elle pensait à Tom. Serg
Margane était-il destiné à être son mauvais génie ? Pa
deux fois, il se trouvait sur sa route. Briserait-il
nouveau ses chances de bonheur ?

— Savez-vous qu'autrefois Serge a connu Olga Rus
sel ?

— C'est ce que j'ai cru comprendre, au cours de l
discussion qui l'a opposé à Thomas.

— Ils se sont donc déjà heurtés..., murmura pensive
ment la doctoresse.

Avec l'ardeur de celui qui plaide pour une cause juste
elle continua :

— Margane a été l'amant d'Olga. Tom en a beau

coup souffert, parce que cette femme le narguait d'une façon révoltante, s'affichant sans vergogne avec cet amant plus jeune qu'elle, qui avait un avantage de plus que les autres : il était le dernier.

— Thomas a souffert, répéta Maria, qui n'avait retenu que cette phrase. Il aimait beaucoup sa femme, n'est-ce pas ?

— Je ne crois pas que c'était de l'amour.

— Que s'est-il passé entre Serge et mon mari ?

— Aucun drame, rassurez-vous. Et puis, je vous le répète, ce n'était pas la seule aventure d'Olga.

— Comment est-elle morte ?

— Un accident. Elle est tombée d'un balcon. Vous devez le savoir, je suppose ?

Béatrice s'était détourné un instant. Dérobant son visage, elle finit par clore le fermoir récalcitrant de sa trousse.

Avec un soupir, elle fit face à sa compagne.

— Je ne peux que vous donner ce conseil, Maria : ne fréquentez pas cet homme, ne vous laissez pas prendre à ses manières séduisantes. Ne serait-ce que par respect pour votre mari. Croyez-moi, il a suffisamment souffert.

— Et moi ? Suis-je heureuse ? Vous ne parlez toujours que du chagrin de Thomas ! Ne m'en a-t-il pas fait ?

— Pas de la même façon.

Mais Maria était lancée.

— S'occupe-t-il de moi ? poursuivit-elle, en s'animant. S'inquiète-t-il de ma conduite ?

Sa voix se brisa. Pour la première fois depuis sa maladie, elle fit allusion à la scène qui l'avait tant choquée.

— Mon mari ne m'aime plus, Béatrice. Alors, pourquoi serait-il jaloux ?

— S'il vous a aimée, il vous aime encore. Vous ne le connaissez pas.

— C'est vous qui le connaissez mal.

Un léger sourire voltigea sur les lèvres de la doctoresse.

— L'avenir nous départagera... Alors, c'est décidé?
Vous ne m'accompagnez pas? A demain, Maria. Et
surtout, pas d'imprudences...

*
* *

La plage n'était qu'un étroit ruban de sable assez
grossier, sans cesse grignoté par la mer. Des rochers
escarpés l'enserraient, comme une tenaille.

Le vent balançait les palmes languides des cocotiers,
où nichaient des oiseaux multicolores. Couronnées de
nuages, les montagnes s'estompaient dans une brume de
chaleur.

D'un pied léger, chaussé d'espadrilles, Maria descendait en chantonnant le sentier déjà parcouru en des
conditions pénibles, le jour de son arrivée. Vêtue de
toile blanche, les cheveux libres, elle se sentait en
beauté. Le soleil, qui cuivrait durement le visage de son
mari, ne lui accordait qu'une patine légère qui s'harmo-
nisait avec le miel sauvage de sa chevelure.

Si elle recherchait la compagnie de Serge Margane, ce
n'était pas tant parce qu'il lui plaisait. C'était le seul
regard où elle voyait luire sa beauté, comme dans un
miroir.

Ce n'était d'ailleurs pas uniquement par pure coquetterie. Elle avait besoin d'être rassurée. L'indifférence de
Thomas à son égard la plongeait dans un curieux état
d'âme.

A quel sentiment obéissait-elle en voulant, à tout prix,
forcer cette indifférence? Elle mettait sur le compte de
l'amour-propre cette souffrance bizarre qui la taraudait.
Serge Margane était l'occasion rêvée pour prendre une
obscure revanche. Au moins était-il jeune et gai. Moins
jeune peut-être qu'il n'y paraissait au premier abord. De

fines rides étoilaient ses tempes. Mais il était plein d'une vitalité contagieuse, lui rappelant Patrick à tout instant, avec son insouciante témérité, la fantaisie de son vocabulaire, son charme un peu équivoque.

Entre la sombre humeur de son mari et l'amitié solide de son amie Béatrice, la jeunesse de Maria s'étiolait. Un élan la poussait vers Serge. Comme Patrick, il avait un sens aigu de l'humour, ne prenait rien au sérieux, faisait renaître en elle une gaieté oubliée.

Un autre motif l'incitait à se rapprocher de lui : la curiosité. Jadis il avait été mêlé au passé de Thomas. Par lui elle espérait en apprendre davantage.

En atteignant la plage, elle aperçut une silhouette musclée dressée sur la mer, à la crête des vagues.

Un instant plus tard, la vague vint lécher le sable et Serge, abandonnant la planche de bois sur laquelle il était juché, courut vers l'arrivante.

Les cheveux ébouriffés, le torse ruisselant, il expliqua :

— Quand on est ingénieux, on se débrouille partout! Je suis un champion du surf, ma chère! Avez-vous constaté la performance?

Elle rit.

— De loin j'ai cru que vous marchiez sur l'eau!

— Aucun miracle. Navré de vous décevoir.

Son ton comiquement désolé renforça la gaieté de la jeune femme.

— Mes compliments, vous êtes un sportif chevronné.

— On est cascadeur ou on ne l'est pas! Voulez-vous essayer?

— Merci bien. Je me contenterai de la nage.

— Attention aux requins!

— Y en a-t-il vraiment? s'inquiéta-t-elle.

— Au large, sûrement. Sur les bords, c'est un risque à courir. Que serait l'existence sans le piment du risque? Ne vous éloignez tout de même pas. Quoique cela me donnerait l'occasion de vous sauver!

— Je préfère que vous exerciez votre courage en d'autres circonstances.

— Ne vous trompez pas sur mon compte! Je ne suis pas courageux, mais inconscient. C'est le secret de l'héroïsme.

Il se laissa tomber sur le sable, lui tendit les mains.

— Venez...

Le ton était câlin. Elle obéit.

— On a dû vous le dire, hein?

— Dire quoi?

— Que j'étais inconscient?

— Oui...

— D'autres choses aussi?

— Oui...

Il se renversa sur le dos.

— Lesquelles? Racontez, j'adore qu'on dise du mal de moi.

Elle baissa la tête et sa chevelure lui enveloppa les joues.

— On m'a dit que vous aviez été l'ami d'Olga Russel.

— Appelons les choses par leur nom. Oui, j'ai été son amant. Et après? Où est le mal? Russel n'était pas mon ami à l'époque, que je sache! Je ne le connaissais même pas! D'ailleurs, c'est Olga qui m'a fait des avances.

— Un peu mufle, vous ne trouvez pas?

— Mufle, mais vrai. Quand je l'ai connue, elle était la vedette d'un film dont je doublais le héros. Une mauvaise actrice, entre parenthèses. Mes prouesses l'ont séduite.

Machinalement elle faisait couler du sable entre ses doigts écartés.

— Quand Olga s'est tuée, on a prétendu que... que son mari n'était pas étranger à l'accident.

— Hum! Vous voudriez bien être rassurée, hein? Apprendre qu'on a épousé un assassin, ça n'est pas amusant! Ce n'est pas impossible, après tout! Russel est jaloux comme un tigre!

— Il était très épris de sa femme, n'est-ce pas ?

— C'est une question à laquelle seul Russel pourrait répondre. Qui peut savoir ce qui se passe dans le cœur d'un homme ?

D'un mouvement brusque il se redressa. Ses coudes et ses cheveux gardaient la trace du sable.

— Écoutez, Maria : que faites-vous sur cette île genre « Robinson », alors que vous devriez briller de tous vos feux à Saint-Trop ou à Port-Grimaud, à bord du luxueux yacht du fameux Russel ?

— Un caprice de mon mari. Il adore cet endroit.

— Et vous ?

Avec l'impression de trahir, elle avoua :

— Pas du tout...

Mais ce n'était déjà plus vrai. Seulement, elle refusait d'en convenir.

Le jeune homme éclata.

— Je reconnais bien là ce vieux Russel ! Je me demande bien pourquoi vous l'avez épousé ! Au fait, que je suis bête ! Le motif est aveuglant ! On peut trouver des tas d'inconvénients à Russel, mais il faut lui accorder qu'il est puissamment riche !

Maria se sentit rougir. Serge Margane, avec son esprit cynique, avait tout de suite deviné ce que Thomas n'avait même pas soupçonné.

A côté de Serge, beau garçon, charmeur, volontiers hâbleur, frotté à la vie, qui envisageait immédiatement le mauvais côté des choses, Thomas, avec toute sa fortune, faisait figure de naïf.

— Ce que je n'arrive pas à comprendre, scanda le garçon en tapant du poing jusqu'à faire jaillir le sable, c'est le sens de cet exil ! Puisque vous vous ennuyez, pourquoi diable restez-vous dans ce patelin ?

Elle ne répondit pas. Le vent passait sur la mer, la bosselant, la sculptant à son gré, comme une argile.

— Mais il vous séquestre, ma parole ! C'est lui qui

impose ses volontés! Un vrai despote! Dans cette histoire, il se conduit comme un potentat zoulou!

Elle ne put réprimer un sourire.

— Connaissez-vous beaucoup de potentats zoulous?

— Non, maugréa-t-il en opérant une reptation pour offrir son torse au soleil.

Ses yeux étroits et verts faisaient face, sans ciller, à l'aveuglante clarté.

— C'est curieux, reprit la jeune femme au bout d'un moment de réflexion. On dirait que vous détestez mon mari. Que vous a-t-il fait? C'est plutôt lui qui devrait vous en vouloir.

— La haine attire la haine, comme l'amour attire l'amour...

— Pourquoi Thomas vous haïrait-il? dit Maria, poursuivant son idée. De votre propre aveu, vous ne le connaissiez pas avant de rencontrer Olga. Ce n'est qu'une demi-trahison...

— Il ne vous est jamais venu à l'esprit qu'il existait une raison de discorde beaucoup plus grave entre nous?

— C'est bien pourquoi je vous pose cette question.

Il leva la tête. Le soleil blondissait ses cheveux. Ses yeux verts brillaient d'un éclat inquiétant.

— Je vais vous mettre sur la voie. Un seul prénom résume tout...

Suspendue à ses lèvres, elle attendait la révélation, prise d'un étrange malaise.

— Armelle...

— Que voulez-vous dire?

— Ne faites pas l'innocente, vous avez très bien compris. Oui, Armelle! Vous la connaissez, non? Thomas croit que c'est sa fille...

— Taisez-vous!

— Eh bien, c'est la mienne, dit-il avec brutalité.

— C'est impossible!

— Calculez, alignez des dates, vous verrez si c'est impossible!

— Non, non, je ne vous crois pas !

Instinctivement elle s'était éloignée de lui et ce recul provoqua sa colère.

— Qu'est-ce que ça peut vous faire, après tout ? Vous n'êtes pas sa mère ? Ne jouez donc pas les âmes sublimes, ça ne prend pas avec moi !

— Je vous défends de...

Il se radoucit instantanément. Son sourire reprit une expression enjôleuse.

— Pardonnez-moi, Maria. Mais avouez que j'ai raison. Aucun lien ne vous rattache à cette petite fille. C'est un duel entre Russel et moi. Une arme que j'ai contre lui. Au besoin, je saurai m'en servir.

La jeune femme avait reçu la nouvelle en plein cœur. Elle se rappelait la voix grave, pleine de tendresse, de Thomas, en parlant de sa fille. Si un jour il apprenait la terrible vérité...

Un sentiment de pitié lui inondait l'âme. Pourtant, Thomas n'avait eu aucune compassion pour elle, ce fameux soir où il avait fait valoir ses droits d'époux avec une incroyable brutalité.

Ce n'était pas la même chose. Deux adultes peuvent se déchirer. Maintenant, une enfant était en cause.

— S'en doute-t-il ? demanda-t-elle d'une voix qui tremblait.

— Je ne crois pas. Il n'a pas dû faire le rapprochement, penser à cette éventualité. Il adore Armelle...

Il exagéra son sourire suffisant.

— Thomas Russel est peut-être un grand homme d'affaires, mais il n'est pas méfiant pour deux sous !

A nouveau, le remords de sa conduite passée l'effleura.

— Votre histoire de reportage, dit-elle, frappée d'une pensée subite qui n'avait pas encore la forme d'un soupçon. Est-ce vrai ?

— Presque. Je m'intéresse beaucoup à la vie privée des gens. Surtout des personnalités.

— Ceci, bien entendu, n'a aucun rapport avec... Armelle?

Il darda sur elle le rayon pénétrant de ses yeux verts.

— Pourquoi tant vous inquiéter à son sujet? Vous voilà toute bouleversée... Vous êtes belle. Très belle. Beaucoup plus que la première Mme Russel. Olga n'était qu'une sotte et une prétentieuse.

Un bras musclé ceinturait sa taille, l'attirait.

— Laissez-moi, Serge! Vous n'avez pas le droit!

— Je le prends! Une aussi jolie fille, auprès d'un sévère mari, quelle situation tentante! Je serais fou de ne pas en profiter!

— Lâchez-moi, dit-elle d'un ton ferme, en le regardant droit dans les yeux.

— Je vous déplais à ce point?

— Quand vous agissez ainsi, oui, vous me déplaisez.

Sans préciser ses avances, il avait laissé son bras autour de la taille fine.

— D'habitude, l'audace est payante avec les femmes. Que puis-je donc faire pour m'attirer vos bonnes grâces?

— Ne jamais révéler à Thomas cette... paternité.

— Vous tenez tellement à l'épargner?

— Et vous, à le briser?

Ils se bravèrent du regard. Dans celui du garçon se glissait une expression rusée.

— Cette lâcheté ne vous rapporterait rien, réfléchissez, plaida la jeune femme.

— Je viens de comprendre qu'elle peut me rapporter beaucoup, au contraire. Tout à l'heure, en vous parlant d'une arme, à vrai dire, je ne savais pas comment m'en servir. La méchanceté gratuite est une chose idiote. Maintenant, je sais... Vous découvrez trop vite votre jeu, Maria. C'est une faiblesse.

Il avança son visage.

— Une faiblesse dont j'entends profiter. Si je ne peux

rien obtenir de Russel, je peux exiger quelque chose de vous. Un baiser.

« Un simple baiser, Maria, et je vous délivre... »

En homme qui connaît son pouvoir, il espérait bien obtenir davantage. Cette fille était terriblement désirable. Et puis, cela l'amusait de tromper Russel une seconde fois.

— Venez plus près, petit animal sauvage...

Invinciblement, le bras musclé l'attirait. Elle se trouva contre lui, peau contre peau, eette chair tiède de soleil où brillaient des parcelles de mica.

Maria était jeune. En d'autres circonstances Serge Margane l'eût peut-être troublée, avec son prestige d'aventurier, la force animale qu'il dégageait, le fluide de ses prunelles d'émeraude.

D'où lui venait cette résistance, ce refus de tout son être?

— Ne faites pas la méchante, car je possède une arme redoutable...

— C'est un affreux chantage!

— Un chantage est toujours affreux. On se sert des armes qu'on possède, Maria.

Où avait-elle entendu cette phrase? C'est elle qui l'avait prononcée! L'arme de sa beauté, pour conquérir la richesse.

Ressemblait-elle à Serge? Le remords, qui n'avait fait que l'effleurer, la submergea. Pour la première fois, elle regretta sincèrement sa conduite, non pas pour son échec, mais pour la peine qu'elle avait causée. Thomas Russel n'avait fait que lui rendre la monnaie de sa pièce. Pauvre Thomas... Quel coup terrible ce serait pour lui s'il apprenait qu'Armelle, l'enfant qu'il adorait, n'était pas sa fille. Et c'est elle, en voulant le servir, qui le trahissait une fois encore. Serge avait un moyen de pression.

Elle se raccrocha à un espoir.

— Qui vous rend si affirmatif? haleta-t-elle. Armelle

est peut-être votre fille, mais elle peut aussi être celle de Thomas.

Les yeux du garçon se rétrécirent.

— Je possède une preuve!

— Vous bluffez!

— Non, Maria, je ne bluffe pas. J'ai la preuve irréfutable.

— Laquelle?

— Une lettre, écrite par Olga et qui m'est adressée. Elle donne des détails qui ne laissent place à aucun doute.

Son espoir s'effondrait. Elle tremblait de chagrin.

— Alors, ce baiser?

Redoutant une lâche réaction de sa part, elle hésitait à le gifler.

Là-bas, sur la mer, la voile blanche d'une pirogue se précisait.

La pirogue aborda. Absorbés par leur problème, les deux jeunes gens n'avaient rien vu. Aussi tressaillirent-ils quand une voix rude les apostropha.

— Que faites-vous là?

Un instant désarçonné, Serge récupérait rapidement, reprenait son air insolent.

— Nous bavardions amicalement, votre femme et moi, mon cher. N'est-ce pas naturel? Quand on délaisse une jolie femme comme la vôtre, il faut bien qu'elle se distraie.

— Il existe d'autres distractions que le flirt!

— Ici, vous savez, elles ne sont pas très variées!

Le regard de Russel reflétait un mépris coléreux.

— Je vous ai déjà conseillé de partir, Margane. J'ajoute que si vous ne le faites pas, je m'en chargerai. Et maintenant, je vous défends d'adresser la parole à ma femme! Est-ce assez clair?

— Lumineux! Décidément, mon cher, vous êtes un incorrigible Othello!

Ce ton narquois exaspéra Russel. A vrai dire, il

n'avait fait que voir la silhouette des deux jeunes gens côte à côte. Serge avait eu le temps de retirer son bras.

— Une dernière fois, Margane, ôtez-vous de ma route !

Les indigènes avaient tiré la légère embarcation sur le sable. Hissant sur leurs épaules la branche sur laquelle ils empalaient les poissons, ils disparurent dans la poussière du sentier.

D'un élan, Maria s'était jetée entre les deux hommes.

— Thomas, je vous en prie...

Mais il ne l'entendait pas. Ses poings se serraient à faire craquer les jointures. Dans sa peau hâlée, la clarté des yeux prenait l'éclat des perles.

Des deux hommes, lequel était le plus séduisant ?

— Si vous cherchez la bagarre, Russel, je ne la refuserai pas !

Le poing de Thomas se déclencha comme un ressort, atteignit un menton qui se mit à saigner. Ce fut le signal. Serge riposta par un coup à la tempe. Les deux hommes tombèrent sur le sable, enlacés comme des lutteurs antiques.

Une main sur la bouche, Maria s'était reculée, prise d'une affreuse anxiété. Ce n'était pas tant la lutte physique qui l'affolait. Mais l'arme plus terrible, l'arme de lâche, dont Margane disposait. S'en servirait-il ?

Malgré sa peur, elle ne pouvait s'empêcher de penser à quel point Russel avait changé. Où était son maintien correct, son allure guindée ? Animé d'une rage jalouse, il se battait comme un palefrenier.

« Jaloux de qui ? » se demanda la jeune femme. De la première ou de la seconde Mme Russel ?

Quel secours implorer ? La plage était déserte.

Plus jeune et mieux entraîné, Serge prenait nettement le dessus. Mais la colère décuplait les forces de son adversaire. Thomas rendait coup pour coup. Dans un enchevêtrement de membres, Maria discernait deux chevelures emmêlées, une bouche meurtrie, un poing qui s'abattait comme un outil sur l'enclume, en un martèlement rageur.

Les deux hommes roulaient sur le sable qui gardait l'empreinte de leur corps, des traces de sang.

Brusquement ils se séparèrent. La tempe de Serge avait cogné sur un rocher.

Thomas Russel se redressa avec lenteur, considéra un moment son adversaire inerte, le couvrant de son ombre.

— Thomas! Vous l'avez tué!

Il haussa les épaules.

— Mais non, il n'est qu'évanoui. Un peu d'eau va le ranimer.

Il alla tremper son mouchoir dans la mer, en bassina le front du vaincu.

Serge ouvrit les yeux. Refusant le bras tendu, il parvint à se lever, passa la main dans ses cheveux pleins de sable, un sourire railleur aux lèvres.

— Match nul, Russel. Sans ce maudit rocher...

Du sang coulait sur son visage, se figeait en larmes pourpres, au niveau du menton.

Leur fureur passée, les deux hommes ne semblaient pas désireux de reprendre la lutte. Quel en était l'enjeu?

— Excusez-moi, mon cher, je vais prendre un bain réparateur et je vous conseille d'en faire autant. A bientôt pour la revanche!

Il adressa un petit geste complice à Maria et fila vers la mer.

— Rentrons, décida Russel.

*
**

Cette fois, c'est lui qui s'appuyait sur elle. Il souffrait sans le montrer, mais elle devinait sa défaillance.

Cette main pesant sur son épaule, c'était une preuve de faiblesse, une sorte de capitulation.

— Allons voir Béatrice, proposa Maria.

— Non, c'est inutile.

— Mais il faut vous soigner, Thomas, vous avez la figure en sang!

— Des égratignures sans importance.

Il ajouta, les dents serrées :

— Je ne tiens pas à ébruiter cette affaire.

— Alors je vous soignerai moi-même. J'ai beaucoup appris au contact de Béatrice.

— Si vous voulez, accorda-t-il avec une feinte indifférence.

Quand ils arrivèrent, il était épuisé.

Adroitement, elle lava les plaies, plus spectaculaires que profondes, qui balafraient le visage.

— Attention, je vais faire mal...

— Je ne suis pas douillet.

Il sursauta pourtant, sous la morsure de l'alcool.

Un coup avait atteint sa bouche. Un autre, fendu son arcade sourcilière. La pommette droite était tuméfiée.

Avec une application de néophyte, Maria terminait le pansement.

— Avez-vous beaucoup souffert?

— Très peu. Vous êtes adroite.

— Voilà, c'est fini. Vous allez vous reposer. En attendant, je vous prépare un whisky.

Au passage, il happa sa main.

— Que vous racontait-il?

— Serge Margane? Rien d'important...

— Mais encore? Dites-moi la vérité, Maria! Cet homme vous fait la cour, n'est-ce pas?

Sans attendre la réponse, il continua avec agitation.

— Ne niez pas! J'ai vu la façon dont il vous regardait!

Pourquoi le cœur de la jeune femme se mettait-il à battre très fort tout à coup?

Il avait gardé sa main et ce contact la troublait violemment.

— Si cet aventurier vous intéresse, n'oubliez pas pour autant que vous portez mon nom!

Qu'avait-elle espéré? Il ne s'inquiétait que de sa réputation!

D'un geste sec elle retira sa main.

— Rassurez-vous! Je n'ai pas l'intention de vous tromper avec un Serge Margane! Mais ce nom, que vous brandissez comme un étendard, n'oubliez pas non plus qu'une autre l'a porté avant moi!

Elle n'avait pas voulu être méchante. Il accusa le coup. Ses traits s'altérèrent.

Mécontente d'elle-même, Maria alla rejoindre Silissa dans la cuisine.

CHAPITRE VII

Ils achevaient de dîner. La jeune Malgache avait demandé la permission de se retirer de bonne heure.

Toute la journée, une idée avait mûri dans l'esprit de Maria. Jusqu'ici, elle n'avait pas vraiment lutté. Elle n'avait fait que subir le cours des événements. L'étrange situation dans laquelle elle était plongée, en grande partie par sa faute, devait obligatoirement comporter une solution.

La fureur de Thomas était morte. Elle ne le jugeait plus de la même façon. Ses sentiments avaient évolué vis-à-vis de lui.

Comment reconnaître le rigide industriel dans cet homme à la solide carrure, au visage bruni, à la chevelure indisciplinée? Le négligé lui seyait, lui donnant une sorte de nonchalance qui lui conférait beaucoup de charme.

Ce n'était plus le même homme. Honnêtement, elle devait convenir qu'il était très séduisant, avec son teint hâlé, l'éclat argenté de son regard. Il ressemblait à un corsaire.

— A quoi pensez-vous, Maria?

Elle aurait pu lui répondre, si elle avait été sincère : « A ce que m'a dit un jour Béatrice à votre sujet : Thomas vous aime encore... »

Mais elle secoua légèrement la tête.

— A rien.

— Ne serait-ce pas plutôt à Serge Margane? suggéra-t-il d'un ton soupçonneux.

— Pas du tout.

— Vous saviez mieux mentir autrefois...

Elle ne releva pas le propos désobligeant.

— Cet homme est bien le dernier de mes soucis! fit-elle avec conviction.

— En avez-vous d'autres?

— C'est vous qui me demandez cela, Thomas?

Baissant les paupières, il entreprit de chercher une cigarette au fond de sa poche.

Ce soir, elle se sentait particulièrement en beauté. Le collier de coquillages, tout d'abord dédaigné, reposait sur la chair ambrée du décolleté. Ses cheveux, libres et soyeux, retombaient en cascade sur ses épaules. Ses larges yeux bleus, ombrés de cils cuivrés, s'emplissaient de lumière.

Était-ce uniquement une question d'orgueil? Était-ce pour se prouver à elle-même que sa séduction avait toujours le même pouvoir qu'elle désirait tenter l'expérience « charme », soumettre Thomas à l'épreuve?

Elle se rappelait l'unique étreinte. Un souvenir qui lui avait laissé dans la chair une trace de feu. Pourquoi ne la désirait-il plus?

Si elle avait pu savoir sa tentation! La lutte violente qu'il menait chaque soir contre lui-même, pour ne pas y succomber.

Lui aussi se souvenait... Certaines phrases, prononcées par la jeune femme dans le délire, le déchiraient cruellement.

« Ne me touchez pas, Thomas! Je vous déteste! Vous me faites horreur! »

Comme tous les soirs, il se leva, fixa pensivement le rectangle de la porte par où s'engouffrait la nuit.

Une musique arrivait par bouffées, sur un rythme lent de mélopée.

— Que se passe-t-il? questionna Maria, intriguée.

— Il y a fête au village. On célèbre le « Tromba ».

— Qu'est-ce que c'est?

— Un esprit. Il s'agit de se concilier ses bonnes grâces, car il peut déclencher des épidémies et des cataclysmes.

Les chants se mêlaient à la musique.

— J'aimerais assister à ce spectacle, dit Maria, les yeux brillants. A moins que ce ne soit sacrilège?

— Pas le moins du monde. Venez, si cela vous amuse.

Ils sortirent. Elle n'osait pas lui prendre le bras et ils marchaient côte à côte, elle, heureuse de cette ambiance qui favorisait ses projets, lui, la nuque raidie, sensible à cette nuit chaude et parfumée, attentif à ne pas se laisser prendre au sortilège.

Vêtus de leur « bamba »(1) de fête, les indigènes étaient tous réunis sur la petite place du village. Deux voix suppliantes, scandées par des battements de mains, montaient en incantation vers le ciel. C'était l' « Appel ». On priait, on invoquait le Tromba, on le conjurait de venir visiter ces hommes et ces femmes qui l'imploraient. On lui promettait des dons. Des zébus maigres et bossus circulaient paisiblement à travers l'assemblée, bœufs sacrés promis au sacrifice.

Les voix s'enflaient, devenaient suraiguës, comme d'étranges plaintes. Certaines femmes pleuraient, en proie à de véritables crises de nerfs, frappant le sol de leur front, se lamentant furieusement. La tension montait...

L'Esprit allait-il se réincarner dans l'un de ses fidèles, ou resterait-il insensible à ces supplications?

Instinctivement, Maria s'était rapprochée de son mari.

La nuit était douce, baignée d'une atmosphère

(1) Chemise brodée.

irréelle, traversée de ces chants bizarres, lourde de
parfums...

L'Appel se prolongeait. L'Esprit ne descendait pas.
Avait-on commis quelque faute impie ?

— Vont-ils continuer longtemps ainsi ?

— Toute la nuit si c'est nécessaire.

Soudain, un homme poussa un cri strident, se détacha
du groupe et se roula à terre en proférant des mots
incohérents.

Une minute, l'assistance resta figée, puis les chants
reprirent de plus belle. Le Tromba était enfin venu !

A partir de cet instant, l'heureux « possédé » était le
maître de la cérémonie, qui entrait dans sa phase active.
L'alcool de riz circula, contribuant à échauffer les
cerveaux. Des malades s'avancèrent vers celui que
l'esprit avait désigné. L'homme touchait les têtes,
caressait les membres fiévreux.

— Si Béatrice assiste au spectacle, elle doit étouffer
de colère, souffla Maria.

— Aussi n'y assiste-t-elle pas. Elle évite soigneusement ce genre de folklore.

Ensuite, l'Élu entama un long discours, psalmodiant
comme un officiant devant ses fidèles prosternés.

Soudain, une femme s'avança et se lança dans une
danse effrénée, virevoltant, bondissant, finissant par se
rouler à terre en poussant des hurlements, en un rythme
de plus en plus rapide.

Les mains frappaient en cadence. Au centre, la femme
se tordait comme une flamme, une toupie infatigable.

— Mais elle va se rendre malade ! Pourquoi ne
l'arrête-t-on pas ?

— On s'en garderait bien ! Je crois comprendre que le
Tromba s'est montré particulièrement magnanime, ce
soir, en honorant deux sujets. Cette femme est également possédée. Elle va peut-être danser toute la nuit sur
cette cadence frénétique. Un peu plus tard, d'autres
femmes se joindront à elle et cette exhibition tournera à

l'hystérie collective. Demain, calmés, « défoulés » comme on dit chez nous, ces gens redeviendront paisibles et raisonnables. En une nuit, ils se seront libérés de toute la violence accumulée au fond de leur cœur. Une soupape de sûreté, en somme, ces coutumes.

— Je comprends...

Maria faisait un retour sur elle-même. Dieu ne l'avait-il pas punie de cette course à l'argent qui avait été sa seule ambition? L'ambition d'un cœur sec, égoïste. Aujourd'hui, elle ne pouvait se le cacher davantage, elle souffrait profondément.

Non pas de l'exil imposé, mais par un sentiment subtil qui s'était glissé dans son âme, comme un délicieux poison.

Elle ne désirait plus la fortune, en sentant la vanité. Mais l'amour lui était-il interdit? Elle l'avait nargué, il se vengeait. Ce mal qu'elle avait tant voulu éviter, elle le ressentait à présent. Ce mal d'amour, si doux et si cruel, qui laisse aux lèvres une senteur douce-amère. Comment cela était-il venu? Des larmes étoilèrent ses yeux bleus. Ce soir, Thomas allait-il la prendre dans ses bras? Ce soir, elle ne se refuserait pas...

Sur la petite place, le spectacle continuait. Les indigènes étaient en transes. Les battements de mains s'intensifiaient. La fièvre montait. A présent, la possédée mimait le vol d'un rapace fondant sur sa proie, les bras étendus figurant les ailes, décrivant des cercles de plus en plus étroits.

Soudain, elle s'abattit d'un bloc, la tête entre les jambes et ne bougea plus.

— C'est impressionnant. Qu'est-il arrivé? On dirait qu'elle est morte.

— Épuisée seulement. Ne vous inquiétez pas pour elle. Elle va dormir jusqu'au matin. Mais il est de fait qu'elle aurait bien besoin des soins de notre amie Béatrice.

— Que vont-ils faire maintenant?

— Boire, manger et chanter encore, jusqu'à l'aube. Le plus pittoresque de la cérémonie est terminé. Désirez-vous rester encore?

Pourquoi adoptait-il ce ton froid, à la limite de l'indifférence?

— Si nous nous promenions un peu? J'ai peur que le souvenir de cet hallucinant spectacle ne m'empêche de dormir.

— Comme vous le désirez...

Maria se dirigeait vers le petit chemin qui menait à la plage. Elle n'avait pas renoncé à tenter l'épreuve de vérité.

Tout contribuait à troubler l'âme et les sens. La nuit bleue, enchanteresse, était peut-être une nuit de réconciliation. Thomas pourrait-il résister à sa magie?

Les cheveux d'or de la jeune femme brillaient doucement dans l'ombre claire.

... La plage étroite dormait sous un ciel vide. Les étoiles étaient absentes, escamotées par la fumée des nuages. Poussées par le vent, de petites vagues courtes venaient lécher le sable gris, se retiraient comme à regret, laissant une empreinte humide qui, à son tour, mourait peu à peu.

Maria regardait la mer, nue comme le ciel. Ses épaules frissonnèrent soudain de solitude.

Se laissant glisser sur le sable frais, elle murmura d'un ton de prière :

— Venez vous asseoir près de moi, Thomas...

Après une courte hésitation, il obéit, se tenant un peu à l'écart en un réflexe de défense. En réalité, il se défiait davantage de lui-même. Saurait-il résister au désir que lui inspirait la capiteuse beauté de Maria?

Combien de fois, depuis leur unique étreinte, n'avait-il pas rêvé de forcer le rempart de ces lèvres pulpeuses, d'enfouir son front dans l'odorante moisson de la belle chevelure déroulée, de ployer cette taille rétive, pour la conquérir?

Jamais Maria ne saurait la discipline de fer qu'il s'était imposée, la torture des nuits sans sommeil, pour mater ce désir coriace qui ne voulait pas mourir.

— Vous n'êtes pas bavard, Thomas, dit-elle en se rapprochant de lui.

— Parce que je n'ai rien à dire.

S'armant de courage, aidée par la nuit bleue qui les enveloppait de mystère, elle questionna, baissant la voix :

— Thomas... Pourquoi n'avez-vous plus jamais essayé de me conquérir ?

S'astreignant à la sévère ligne de conduite qu'il s'était imposée, il répondit, choisissant ses mots :

— Parce que je n'aime pas les échecs.

— Les sentiments peuvent évoluer...

— Pas les vôtres... Je l'ai compris en entendant les mots prononcés dans votre fièvre. Vous me repoussiez avec une horreur indicible.

— Qui vous dit que je vous repousserais encore ?

Il eut l'impression qu'une main de fer lui forçait la nuque. Tout se liguait contre sa volonté. Dans l'ombre, les yeux bleus prenaient une douceur nouvelle. Était-ce une manœuvre pour l'amadouer ?

La force morale a des limites. Jusqu'à quand serait-il capable de résister ?

La main de Maria rampa jusqu'à la sienne, la rejoignit dans le sable.

— Est-il absolument nécessaire de nous comporter comme deux ennemis, Thomas ? Je regrette ma conduite envers vous.

— Je vous ai pardonné. N'en parlons plus.

— Parlons-en, au contraire. Nous ne nous sommes jamais vraiment expliqués.

— A quoi bon ? D'ailleurs...

Une amertume vibrait dans sa voix.

— ... je n'ai eu que ce que je méritais. Comment ai-je pu supposer que je pouvais plaire à une créature aussi

ravissante que vous, Maria? Et si jeune. Je ne me fais
plus aucune illusion. Mon seul avantage, c'est ma
fortune.

A cette réponse, elle mesura combien elle l'avait
blessé.

— C'est faux! protesta-t-elle avec chaleur. Vous êtes
très séduisant, Thomas...

— Cette séduction que vous avez l'indulgence de
m'accorder peut-elle lutter avec celle de Margane?

— Ne me parlez pas de cet homme. Vous valez mille
fois plus que lui!

— Il est jeune et beau et il bénéficie du prestige du
risque!

— Il est aussi très vaniteux et sans scrupules.

Résolument, il lui fit front.

— Pourquoi cherchez-vous à m'attendrir? Est-ce
encore un piège pour obtenir votre liberté?

Des bribes de musique les atteignaient. Le vent rasait
la mer, affûtant sa violence. A l'horizon, s'amoncelaient
de lourdes nuées, où rôdait un lointain orage.

— Qui me prouve que vous êtes sincère ce soir?

— Ceci, Thomas...

Elle noua ses mains derrière sa nuque et ce léger
ruban, pour lui, avait la force d'une chaîne.

Renversée sur le dos, elle l'attirait. Son visage se
rapprochait du sien. La bouche entrouverte, au milieu
du teint d'or léger, prenait le galbe d'un fruit neuf.

Incapable de résister plus longtemps, il y écrasa ses
lèvres, retrouvant cette saveur inoubliée qui hantait ses
insomnies.

Un gémissement doux. La jeune femme pliait, sou-
mise, sous le poids de son corps.

Les mains masculines capturèrent la taille, commencèrent à dénuder fiévreusement les épaules, libérèrent la
chair d'ambre.

— Maria...

Rauque de désir, sa voix murmurait des mots fous, sans suite ; une litanie confuse.

Consentante, elle s'abandonnait toute à cet étrange émoi qui la faisait haleter d'une attente éperdue.

Quelque part, dans les limbes du subconscient, une pensée surnageait : « J'ai gagné !... »

Et comme les violents courants de l'âme se traduisent toujours par une expression du visage, si fugitive soit-elle, une ironie légère, un sourire amusé contribuèrent à la trahir.

Aussi brève qu'elle ait été, elle n'échappa pas à l'homme enivré qui contemplait avidement sa proie blonde, retardant l'ineffable instant de la possession.

Il sentit ce flottement, cet embryon de sourire, cette joie confuse du triomphe. Rien n'échappait à son regard passionné.

Son esprit, traumatisé par la dure épreuve, conservait un fond de méfiance.

Alerté, il suspendit son baiser, crut voir scintiller la moquerie au fond des prunelles bleues. Une ombre descendit sur ses traits. Dégrisé, il s'arracha à l'extase.

— Thomas !

Mais il était trop tard. L'instant pur était passé. Il s'était ressaisi.

— Non, Maria. Je n'ai plus confiance. J'ai été stupide une fois, c'est assez.

— Je ne triche pas, ce soir, gémit-elle. Dans quel but ?

— Pour m'amadouer, me faire fléchir, obtenir cette existence de reine dont vous rêviez...

— Vous savez bien que non, Thomas... Je commence à vous aimer...

Il la regarda avec une sorte de désespoir.

— C'est possible, Maria. Mais je ne peux plus vous croire... Même si je le voulais, je ne pourrais pas ! Le doute est en moi, comme une maladie incurable. Vous avez détruit dans mon âme ce qu'il y a de plus précieux : la confiance.

Avec douleur, Maria comprenait enfin ce qu'elle lui avait fait. Un mal profond, irréversible. C'était l'écroulement de ses espérances. Comment réparer? Comment lui rendre cette confiance morte?

— Thomas...

Il l'interrompit d'un geste doux.

— Non, Maria, c'est inutile. Le mal est en moi, nous n'y pouvons rien ni l'un ni l'autre... Il est trop tard...

Il eut pitié d'elle.

— Un jour, peut-être... Le temps aidant...

— Mais vous ne comprenez donc pas que j'ai changé, Thomas!

D'un geste presque tendre, il ramena les longues mèches éparses sur les épaules.

— C'est vous qui ne comprenez pas, Maria. Le seul service que vous puissiez me rendre, ce soir...

— Tout ce que vous voudrez!

— C'est de me laisser seul, dit-il avec une douceur triste.

CHAPITRE VIII

Maria déboucha du sentier, se dirigea d'un pas précipité vers sa demeure, pour s'y réfugier, cacher ses larmes.

Le vent avait changé de direction. A présent, il venait de la mer, flagellait son visage enflammé. Mais elle n'y prenait garde.

Elle poussa la porte, aperçut Serge Margane tranquillement installé dans un fauteuil, fumant un cigarillo.

— Que faites-vous ici?

— Je vous attendais, répondit-il sans s'émouvoir.

— Si mon mari était rentré le premier, il vous aurait mis à la porte! Vous savez très bien que vous lui inspirez une vive antipathie!

— Sentiment réciproque. Mais je vous ai vue revenir seule de la plage.

— Vous jouez les espions, à présent?

Il se leva, resta appuyé le dos à la cloison.

— Admettons que ce soit par hasard. Tout le monde a le droit d'admirer le clair de lune.

— Le hasard a bon dos! Soit, admettons. Je vous demande encore une fois ce que vous voulez.

— Et moi je vous réponds : avoir un entretien avec vous.

— A cette heure? Demain, il sera temps.

— Je n'aime pas attendre. Quand une idée me trotte dans la tête, je ne peux pas résister.

— Alors, expliquez-vous, mais faites-le vite. Je ne tiens pas à ce que Thomas vous trouve ici.

Il éclata d'un rire sonore.

— C'est vrai que nous nous sommes bagarrés! Qui cherchez-vous à protéger?

— Mon mari, naturellement.

— Ce pauvre Russel, continua l'autre d'un ton moqueur. Il n'a décidément pas de chance dans ses amours. Deux fois le même rival!

— Je vous prierai de laisser mon mari tranquille! dit-elle, contenant difficilement sa colère.

Il tira fortement sur son cigarillo, écarta la fumée d'un geste en éventail. Ses yeux verts étaient durs et froids.

— C'est très bien de le défendre! Vous jouez à merveille l'épouse outragée et aimante!

— Je ne joue pas. Je vous défends d'attaquer Thomas, voilà tout. Vous lui avez fait assez de mal!

— Et vous?

Elle rougit sous l'attaque imprévue.

— Aimez-vous votre mari? jeta-t-il à brûle-pourpoint.

— Oui, je l'aime!

Pour un peu, elle l'aurait remercié d'avoir posé cette question qui avait fait jaillir, sans équivoque, ce cri de l'âme.

Oui, elle aimait Thomas... Cette certitude l'éblouissait. Il n'était plus question d'orgueil. Il n'y avait ni vainqueur ni vaincu. Comment ce sentiment était-il né? Au début, Thomas ne l'avait pas attirée. L'amour ne prend jamais le même chemin, pour personne. Il éclate comme un soleil, ou progresse insidieusement.

— Vous êtes une excellente comédienne, mais je ne vous crois pas. Qui voulez-vous tromper?

— Je vous défends de me parler sur ce ton! s'indigna-t-elle.

— Allons, pas de cinéma entre nous, ma petite. Ne vous fatiguez pas. Je sais parfaitement que vous n'avez épousé Russel que pour son argent.

— Régine vous a décidément bien informé, ironisa-t-elle, amère.

— Comme toutes les femmes amoureuses sans espoir, ma chère. De recoupement en recoupement, elle est parvenue à la vérité, ce que ma petite enquête personnelle a confirmé. Ne jouez pas à la sainte, je sais parfaitement à quoi m'en tenir sur votre compte. Vous ne valez pas plus cher que moi!

Avec détresse elle mesurait l'étendue du désastre. Par sa faute Thomas était ridiculisé.

— Et après? le brava-t-elle. Qu'est-ce que cela change, pour vous?

— Cela change tout, Maria...

Elle eut peur de l'éclat que prenaient ses prunelles de chat.

— Il m'est arrivé une chose idiote, Maria. Je suis tombé amoureux de vous. Partez avec moi!

Elle lui éclata de rire au nez.

— Avez-vous perdu l'esprit? Jamais je ne vous suivrai!

La résistance augmentait son désir.

— Au besoin, je vous ferai partir par la force!

— En pirogue peut-être? ironisa-t-elle.

— Ne vous inquiétez pas. Russel n'est pas si fou. J'ai repéré un canot à moteur dans l'échancrure d'un rocher.

Elle haussa les épaules.

— Serge Margane, vous prenez vos désirs pour des réalités! Je ne vous suivrai pas. Rien ne pourra m'y contraindre!

Avait-elle donc oublié la menace qui planait sur Thomas? La phrase sournoise de Serge la lui rappela douloureusement :

— Si, Maria. J'ai un atout qui pourra vous faire obéir.

Elle recula jusqu'au mur, tremblante, les traits décomposés.

— Vous n'oseriez pas vous servir de cette arme! Non, vous ne le pouvez pas! Ce serait trop lâche!

— Qui veut la fin, veut les moyens...

— J'aime mon mari...

Il ricana :

— Après tout, c'est possible... En un sens, cela m'arrange. Car, si vous l'aimez, vous ne voudriez pas qu'il soit malheureux, n'est-ce pas? S'il apprenait que sa fille tant aimée n'est pas la sienne...

Dehors les chants s'étaient tus. Pas même un bourdonnement d'insecte, rien que la plainte aigre du vent qui passait en rafales sur le village.

— Je vous propose un marché, Maria...

Serge Margane tira un papier de sa poche, l'agita devant le visage angoissé de la jeune femme.

— C'est une lettre d'Olga. Tous les détails y sont.

Instinctivement elle essaya de s'en saisir, mais il la retira en riant.

— Bas les pattes! Mettons-nous d'accord avant. Sur cette lettre, noir sur blanc, cette chère Olga m'informe qu'elle est enceinte et que l'enfant qu'elle attend est de moi.

— Dans une telle situation, aucune femme ne peut être certaine...

— Peut-être, mais dans un cas pareil, le doute suffit à empoisonner une existence, surtout pour un tourmenté et un scrupuleux comme Russel. Et c'est humain.

— Thomas n'a jamais douté un seul instant de sa paternité! Et pourtant, il se savait trompé!

— Dans ce temps-là, sans doute était-il plus crédule.

De nouveau, il agita la lettre devant ses yeux, comme un leurre.

— Cette lettre contre votre précieuse personne. Donnant, donnant!

— Non, non, je ne peux pas, c'est impossible! Jamais!

Il parut hésiter.

— Alors, je baisse mes prétentions. Je n'exige qu'un baiser, Maria. Le baiser que vous m'avez refusé sur la plage, l'autre jour. Un baiser contre cette lettre...

— Vous êtes un lâche!

— Je suis surtout imperméable aux injures. Alors, vous vous décidez? Suis-je si repoussant? Je vous préviens, dans cinq minutes, j'augmente mes prix! Sans compter que votre mari peut arriver d'un instant à l'autre.

Affolée, elle crut entendre un bruit de pas, gémit ·

— Contre un baiser, un seul, j'accepte!

C'était pour Thomas qu'elle faisait ce sacrifice. Pour qu'il ne sache jamais, qu'il continue à aimer Armelle comme son enfant, issue de sa chair.

Fascinée par ce regard vert, brillant comme un silex, elle se laissa prendre dans les bras. Comme on se jette à l'eau, elle s'abandonna, crispée, à cette étreinte qui lui répugnait.

Pour le repos de l'âme de Thomas. Pour l'avenir d'Armelle...

A vrai dire, Margane n'était pas sincère en ne demandant qu'un seul baiser contre le papier compromettant. Dans sa fatuité de beau garçon gâté par les succès féminins, il espérait bien troubler la jeune femme, une fois qu'il l'aurait tenue entre ses bras. Que diable, elle n'était pas de marbre!

Il avait machinalement glissé la lettre dans sa poche. Ses lèvres tentèrent de forcer le rempart des lèvres serrées.

A cet instant, Thomas poussa la porte...

***

En apercevant le couple enlacé, il eut l'impression qu'une lame se plantait dans sa chair. Lui qui rentrait

avec un sincère désir de conciliation... Il avait beaucoup
réfléchi après le départ de Maria. Qui sait... Peut-être
pouvaient-ils encore être heureux ?

Sa réaction fut terrible. Comme un fou, il se précipita
furieusement sur son rival. Mais l'autre, d'une parade
de judo, bloqua l'attaque.

— Non, Russel. C'est assez d'une bagarre. Je n'ai pas
l'intention de remettre ça !

Prise d'une soudaine faiblesse, Maria n'osait pas
intervenir. La fatalité l'accablait. Comment se défendre ?
Comment se disculper sans faire à son mari une peine
plus profonde encore ? Les apparences étaient contre
elle. Comme la violence de Thomas lui aurait été douce
en cette minute ! Mais il ne daigna lui infliger que son
mépris.

— Vous avez raison, Margane. Ne nous battons pas
pour cette femme. Elle n'en vaut pas la peine !

— Je vous jure que je suis innocente !

Il ricana :

— N'étiez-vous pas dans les bras de cet homme
lorsque je suis entré ? Celui-là ou un autre ! Comme vous
n'aviez pas réussi avec moi !

Elle restait muette, incapable de lui dire la vérité,
victime du hasard, dépositaire du terrible secret, les
yeux voilés de larmes. Thomas ne devait rien savoir,
jamais...

Cette femme était-elle destinée à le faire passer, sans
trêve, du paradis à l'enfer ? Qui était-elle : ange ou
démon ? Les deux peut-être... Il aurait juré qu'elle était
sincère, tout à l'heure, sur la plage. Quelle perversité
l'habitait ?

— Thomas, je vous en supplie, croyez en ma tendresse !...

Jusqu'à quand pourrait-elle garder le secret ? Endurer
ce supplice ?

Maître de la situation, Serge tapotait ironiquement sa
poche, qui contenait le fatal document.

— Tricheuse! dit Russel avec un accent d'indicible douleur. Je vous rends votre liberté. Vos conditions seront les miennes. Je ne veux plus jamais entendre parler de vous!

A présent, les larmes ruisselaient sur les joues de la jeune femme...

— Je vous supplie de me croire! Je n'ai rien fait de mal!

— Ne cherchez donc plus à mentir, puisque, je vous le répète, vous avez gagné! Je suis incapable de supporter votre présence une seconde de plus. Adieu!

L'appel le frappa alors qu'il s'apprêtait à sortir.

— Thomas!

Malgré lui, il se retourna. Leurs regards se mêlèrent. Il hésitait, partagé entre l'envie de la croire et le souvenir de l'obsédante image. Il n'avait tout de même pas rêvé!

Pourtant, ce cri, ce regard plein d'amour... Quel intérêt avait-elle, puisqu'il lui accordait tout?

— Votre play-boy ne vous embrassait pas de force! dit-il avec une amertume coléreuse. Je vous ai vus! Vous vous laissiez faire. Restez donc avec lui, vous êtes bien assortis tous les deux!

Voilà, c'était fini. Jamais elle ne pourrait le convaincre... Thomas allait partir. Elle l'avait perdu pour toujours.

Brusquement, une clameur sinistre rompit le silence nocturne. Les murs tremblèrent. La lampe s'éteignit.

CHAPITRE IX

Béatrice Vernier dormait profondément, quand elle se réveilla en sursaut, tous ses sens en alerte.

A tâtons elle chercha les allumettes, s'habilla hâtivement. Un hurlement de bête enflait dans la nuit. Tout de suite, la réalité lui apparut : un cyclone !

Déjà les murs se lézardaient. Le sol tremblait sous ses pieds.

L'angoisse au cœur, s'emparant de sa trousse, elle sortit précipitamment, sachant, par expérience, que quitter la maison était la première précaution à prendre.

Le village dormait... Ignorant le danger, les indigènes étaient écrasés de fatigue, après les danses et les libations. Toute la nuit ils avaient chanté et dansé, bu l'alcool de riz, pour célébrer le Tromba.

A tout prix il fallait les réveiller !

Luttant contre les rafales de plus en plus fortes, la doctoresse progressait lentement, tête baissée pour résister aux éléments déchaînés.

Le ciel s'était obscurci. Ni lune ni étoiles, seulement ces nuées lourdes et grises, bordées d'améthyste, qui enveloppaient l'île.

Malgré son esprit lucide, la doctoresse ne pouvait réprimer une peur superstitieuse. Le Tromba s'était vengé... C'est du moins ce que prétendaient les indigènes, quand un cyclone fondait sur l'île.

Elle parvint sur la petite place, cogna du poing sur les portes closes, aveuglée par la poussière qui se soulevait en tourbillons. Les arbres ployaient dangereusement, craquaient, luttaient contre la tempête, puis s'abattaient, foudroyés. Le bétail courait en tous sens, affolé, avec des beuglements de frayeur entremêlés du caquetage des volailles et du bêlement des moutons.

Le village commençait à émerger de cette grande torpeur où l'avait plongé la cérémonie rituelle. Leurs enfants dans les bras, les femmes quittaient précipitamment les cases ; les hommes s'attardaient à ramasser, pêle-mêle, leurs menus trésors, avec une résignation millénaire. Périodiquement, des tornades, brèves et terribles, dévastaient leurs récoltes, tuaient les bêtes, renversaient les maisons. Après, ils reconstruisaient leurs légères demeures ou consolidaient ce qui en restait, rassemblaient le cheptel épargné, ces zébus qui piétineraient à nouveau les brûlis où le riz repousserait, pour les nourrir. Éternellement, tout continuerait...

Béatrice s'évertuait à secouer leur indolence.

— Farbé, Houédé, Maganga, dépêchez-vous !

Mais leurs mouvements étaient lents, car leurs cerveaux restaient imprégnés d'alcool, embrumés par la fatigue.

Soudain, une pensée fulgura dans l'esprit de Béatrice :

— Tom et Maria !

Surpris en plein sommeil, avaient-ils eu le temps de quitter leur maison ? Thomas n'avait jamais subi une de ces grandes colères du ciel. N'étant pas initié, il ignorait sans doute les précautions à prendre.

Béatrice fonça vers leur demeure.

* * *

Le premier, Thomas Russel avait compris le danger. Dans l'ombre, il chercha la main de Maria :

— Ne vous affolez pas. Ce n'est qu'une tempête.

A son tour, Serge réalisait.

— Vous avez de ces euphémismes, Russel! Dites plutôt que c'est un typhon, si j'en juge par la violence du vent! Il souffle au moins à deux cents kilomètres à l'heure et va gommer Nossi-Mango de la planète en un clin d'œil, et nous avec!

— Ne restons pas à l'intérieur, décida Russel. J'ai entendu dire...

— Cela coule de source! l'interrompit Serge en haussant les épaules.

Ils sortirent.

— Entendez-vous? chuchota Maria.

— Le beuglement des animaux? C'est normal, car les pauvres bêtes ne comprennent pas ce qui arrive.

La voix railleuse de Serge le contredit encore.

— Au contraire, mon cher! Les animaux sont doués de prémonitions! Ils sont les premiers à flairer le séisme et à prendre la poudre d'escampette!

— Allez-vous bientôt vous taire!

— Allons, Russel, un bon mouvement. Cessons provisoirement notre querelle, suspendons nos hostilités. Si l'on s'en sort, nous les reprendrons!

— Il n'est pas question de ne pas s'en sortir! Désirez-vous à tout prix rendre une femme folle de terreur?

— Je vous assure, Thomas, que je ne suis pas du tout effrayée...

Ce n'était plus tout à fait vrai. Devant cette bourrasque infernale, sous ce ciel convulsé qui se marbrait, par endroits, de lueurs de feu, au cœur de cette nuit surnaturelle, une terreur primitive s'emparait d'elle. Pourtant, elle acheva, dans un murmure qui n'était destiné qu'à son mari :

— ... puisque je suis près de vous...

Avait-il entendu? Il resserra la pression protectrice de ses doigts sur sa main.

— Venez...

Ils débouchaient sur la place quand ils se cognèrent contre la doctoresse.

— Béatrice!

— Vous! Quelle chance!

Ils étaient obligés de crier pour se faire entendre.

— Allez rejoindre les autres! ordonna la doctoresse en pointant le doigt en direction du groupe compact des indigènes rassemblés, impuissants à retenir un bétail surexcité.

Les zébus fuyaient vers les hauteurs. Certains essayaient de les rattraper.

— Les fous! Ils vont droit à la mort, dans la forêt! Farbé! Kamot! Boussamba! hurla la doctoresse.

En vain, car, pour la plupart des habitants de l'île, un bœuf valait largement la peine qu'on risque sa vie pour lui.

Tous quatre s'avancèrent vers les indigènes pressés frileusement les uns contre les autres. Mais, bientôt, la doctoresse se détacha du groupe.

— Où allez-vous, Béatrice?

— Là où l'on a besoin de moi. Il y a des blessés à secourir. A tout à l'heure.

— Pas question! Vous ne vous exposerez pas toute seule. Je vous accompagne!

— Non, Tom, ce serait prendre un risque inutile.

— Je vais avec vous, trancha-t-il avec autorité. Maria restera ici.

Elle s'accrocha à son bras.

— Je vous suis, partout où vous irez!

— Non, c'est un ordre!

— Je serai plus utile que vous! N'oubliez pas que j'ai secondé Béatrice!

— Je ne veux pas que vous couriez de risques, Maria.

— Pourquoi?

— Parce que vous êtes une femme.

— Seulement pour ça? Pas parce que je suis « votre » femme?

Ils échangeaient ces répliques au cœur de l'ouragan déchaîné, sans se préoccuper des autres.

Serge brusqua le dénouement.

— Aurez-vous bientôt fini de faire assaut de bravoure? Allons donc jouer les héros, Russel, puisque vous en mourez d'envie! Maria assurera les arrières dans un rôle moins spectaculaire, mais tout aussi glorieux : réconforter les femmes et les enfants, comme dans un naufrage!

Chose singulière, l'esprit gouailleur de Serge, dans cette atmosphère de catastrophe, détendit les nerfs.

Thomas eut un bref sourire.

— Pour une fois, la vérité sort de votre bouche. Venez. A tout de suite, Maria. Surtout, ne bougez pas d'ici.

Il eut un geste tendre, non prémédité, portant furtivement sa main à ses lèvres.

Tous trois disparurent, engloutis par les ombres inquiétantes.

***

— Combien de temps croyez-vous que ce cataclysme va durer? dit Thomas, soucieux.

— En général, la tornade ne dure jamais longtemps.

Dos ployés, ils avançaient avec peine. Le halo jaune de la lampe électrique de la doctoresse fouillait les décombres, à la recherche des blessés.

— Quelle malchance... Juste la nuit où cette fête les avait épuisés...

Le spectacle était navrant. Partout des cases effondrées, dans un amas de plâtre et de tôle tordue, où pointaient, çà et là, de pauvres objets dispersés. Casseroles, fourneaux, linge, meubles démantelés...

Ils se mouvaient dans une étrange ambiance de cauchemar. Hébétés, indemnes, quelques habitants semblaient monter la garde devant leur demeure détruite, écrasée, personnifiant l'image de la détresse. Doucement mais avec fermeté, Béatrice leur enjoignait d'aller rejoindre les autres et on finissait par lui obéir, tant son prestige et son autorité étaient grands dans le village.

Serge, qui marchait le premier, signalait les blessés, légers, heureusement, pour la plupart. D'autres, qui avaient trop tardé à quitter leur demeure, gisaient sous les décombres.

Pour certains, le sauvetage était encore possible, car il s'agissait de constructions légères. Les deux hommes déblayaient rapidement les corps à l'aide de leurs mains écorchées, Béatrice faisait une piqûre pous soutenir le cœur, soulager la souffrance. Parfois, c'était trop tard. Tout secours était inutile.

Unis dans l'effort et le danger, les deux hommes oubliaient leur rivalité, leurs dissentiments.

Cependant, la tempête avait atteint son paroxysme.

Une pluie diluvienne s'était mise à tomber et ils avançaient à grand-peine dans un fleuve de boue.

Déracinés, des arbres leur barraient le passage, compliquant leur tâche.

— Vite, Margane, venez m'aider à dégager cette femme!

Leurs mains à vif débarrassaient les gravats, tiraient le corps avec précautions, parvenaient à le dégager. Leurs doigts écartaient les vêtements déchirés, à la recherche inquiète du cœur.

— Il bat!

Un instant leurs regards se mêlaient, la joie fraternelle du devoir accompli les réunissait.

Curieux garçon, ce Margane. Un cynisme de façade. Comme il se décrivait lui-même, parfois, avec une semi-indulgence : « capable du pire et du meilleur ». Ce devait être vrai...

Soudain, la doctoresse leva la tête.

— Il s'éloigne..., murmura-t-elle.

L'effrayant grondement diminuait d'intensité. Peu à peu, le gigantesque tourbillon qui avait dévasté le village, arrachant tout sur son passage, faiblissait pour aller user sa violence sur d'autres îles.

— Il ne nous reste plus qu'à faire le bilan, dit Thomas en essuyant, d'un revers de manche, la sueur qui lui coulait dans les yeux.

— J'espère que ce satané zéphyr aura épargné ma bouteille de scotch, lança Serge d'une voix tonitruante Car je n'en possède qu'une!

Il sourit.

— Excusez-moi, je n'aurais pas cru crier aussi fort. J'oubliais que ce vacarme du diable avait disparu!

Il posa sa main souillée de terre sur l'épaule de son compagnon.

— Je peux vous offrir le verre de la récompense?

— Entendu, accepta l'autre. Mais, auparavant, allons rejoindre Maria.

Ils trouvèrent la jeune femme assise au centre d'une ronde d'enfants qui riaient, en répétant des mots en français. De son côté, elle répétait les mots malgaches :

— Bonjour, monsieur, madame...

— *Ramatoa, andriamatoa...*

En les apercevant, elle se leva, courut à leur rencontre.

— Le danger est passé, lui annonça la doctoresse avec un sourire las.

— Y a-t-il eu beaucoup de victimes?

— Surtout des dégâts matériels, la rassura Béatrice. Ces pauvres gens, une fois de plus, vont se trouver démunis. Hélas, ils en ont pris l'habitude. Les cyclones sont fréquents dans cette région. Mais celui-ci était particulièrement violent...

Elle avait levé la tête, interrogeait le ciel aux coulées livides d'un air soucieux.

— Le danger est-il définitivement écarté? demanda la jeune femme, qui était la seule à avoir remarqué ce manège.

— Le typhon va poursuivre ses ravages ailleurs, répondit son amie d'un ton réticent.

— L'essentiel, dans ces cas-là, c'est un bon moral! dit Serge avec bonne humeur. Ma proposition tient toujours. Un verre de whisky nous fera du bien à tous!

La minuscule case qui attenait au magasin et qui servait, d'habitude, à entreposer les marchandises, était providentiellement debout. Serge y avait élu domicile, son charme ayant convaincu la jeune marchande.

Mais elle avait subi des dommages. Les cloisons étaient fendillées, de grandes lézardes fissuraient le plafond. Une partie du toit avait été arrachée.

Parmi un amas de verre brisé, Serge découvrit une bouteille intacte.

— Un miracle! Vous direz après ça que j'ai tort d'être optimiste! Buvons à la régalade, à la guerre comme à la guerre! A vous l'honneur, docteur Vernier!

Pour une fois, Béatrice ne refusa pas. Cette nuit d'horreur l'avait épuisée et, à titre exceptionnel, le coup de fouet de l'alcool était nécessaire.

Maria but à son tour.

— Après vous s'il en reste! dit Serge, goguenard.

Il tendit la bouteille à Thomas, but le dernier, la bouteille bien en main, tête renversée.

Soudain, ils tressaillirent. Au-dehors, l'inquiétante symphonie reprenait. Une rumeur, pareille à un torrent, s'amplifiait, avec une violence accrue.

Très pâles, ils s'entre-regardèrent.

— Cela recommence, dit Maria, cherchant d'instinct le regard de son mari.

Oui, cela recommençait, comme si l'ouragan regrettait d'avoir épargné des victimes. Les murs tremblèrent. La nouvelle attaque avait été si rapide qu'ils eurent du mal à reprendre leurs esprits.

— Sortons! hurla Russel.

Les cris des indigènes, qui s'étaient disséminés, ajoutaient aux scènes de terreur. Les enfants et les animaux couraient en tous sens. On eût dit que la terre basculait en un gigantesque craquement.

Entraînant Maria, Thomas Russel sortit le premier, suivi de Serge. La poussière soulevée par la tornade les aveugla. A peine venaient-ils de quitter la maison qu'un bruit les fit se retourner. Sapée par un premier assaut, la demeure venait de s'effondrer.

Un seul cri sortit de leurs bouches.

— Béatrice!

Tous trois se précipitèrent. Au bout d'un quart d'heure d'efforts acharnés, ils parvinrent à dégager le corps de la doctoresse. Trop affolée, Maria ne pouvait réaliser le drame.

— Elle n'est pas blessée..., constata-t-elle, pleine d'espoir.

En effet, le sang ne coulait pas. Mais le visage blême, les dents serrées indiquaient la souffrance.

— Pas de blessure apparente, commenta Serge. C'est peut-être pire.

— Elle est évanouie...

A cet instant, Béatrice ouvrit les yeux. Courageusement, elle tenta de sourire. Un pauvre sourire qui dégénéra en grimace de douleur. D'une voix faible, elle haleta :

— Il faut aller chercher du secours, Tom. Je ne peux plus rien pour personne à présent.

— Que faire?

Elle fit un signe imperceptible. Même durement touchée, frôlée par la mort, elle restait lucide, dirigeait les opérations.

Thomas comprit le message, se pencha.

— Tom, je dois avoir une hémorragie interne. Les blessés ont besoin de secours immédiats, mon poste-radio est détruit, nous sommes coupés de tout. Il faut tenter de rejoindre l'île la plus proche, Nossi-Bé. Partez tous les trois, puisque vous êtes valides... le cyclone est passé... il ne reviendra plus...

— Jamais je ne vous abandonnerai !

— Il le faut, mon ami. Le moindre mouvement me serait fatal. Je sais que vous avez pris vos précautions, en cas d'urgence. Ce moment est arrivé.

Comme il hésitait encore, elle ajouta, avec toute l'autorité dont elle était encore capable :

— Obéissez-moi. C'est notre seule chance, pour vous comme pour moi...

Cette fois, vaincu par des arguments qu'il savait véridiques, il n'insista plus.

— Que Dieu vous bénisse et nous aide, Béatrice, dit-il simplement, en ramenant les morceaux de la chemise déchirée sur les épaules de son amie.

Autour d'eux, tout s'écroulait. Les dernières maisons s'affaissaient, comme de fragiles jeux de cartes. Des corps inanimés jonchaient le sol et ils étaient obligés de les enjamber pour se frayer un passage.

Du secours... Etait-ce encore possible ? Pourraient-ils y parvenir ?

Ils se mirent à courir vers la mer...

**

Trempés, suffoquant sous la bourrasque, ils fuyaient, se tenant solidement par la main, encordés, réunis par le danger. Leurs pieds butaient contre les racines déterrées, les branches tombées en travers du chemin. Un grondement caverneux ébranlait le ciel déchiré de lueurs, poignardé d'éclairs.

C'étaient les dernières convulsions de cyclone, qui avait tout détruit, ravagé, anéanti. Un jour, tout repousserait...

Echevelés, en sueur, ils atteignirent la plage. La mer se creusait de plaques sombres, miroir magique reflétant les cieux torturés. La fureur était apaisée.

— Par là, dit Russel. Derrière les rochers.

Mais il se tut soudain. Serge Margane, qui avait suivi la direction de son regard, laissa échapper un juron.

— Trop tard, Russel...

Là-bas, à une distance qu'il était impossible d'évaluer, un petit bateau à moteur dansait sur les flots.

— Il a dû se détacher..., constata sombrement Russel. Nous ne pouvons rien faire. Et Béatrice qui va mourir, si elle n'est pas rapidement secourue...

— Il reste toujours quelque chose à faire!

— Que voulez-vous dire?

Serge se mit à rire.

— Je me dois à ma réputation de cascadeur! Noblesse oblige, mon cher! Attendez-moi là, avec Maria. Je vais essayer de rattraper ce maudit bateau!

— Il est trop loin! Jamais vous n'y parviendrez!

L'autre le toisa avec une mine offensée.

— Me prenez-vous pour une mauviette? Avez-vous assisté à mon plongeon de la mort, à mes prouesses nautiques, à mon vol plané dans un de mes plus mémorables accidents d'automobile?

— Non, je ne vous laisserai pas narguer la mort! Laissez-moi y aller!

— Sans vous offenser, j'ai plus de chance que vous de réussir!

— Allons-y ensemble! Deux chances au lieu d'une!

— Et que faites-vous de votre femme, si nous y restons tous les deux? Aurez-vous bientôt fini de faire assaut d'héroïsme? Pas de surenchère inutile, Russel. S'il y a un risque à courir, il me revient de droit! Ne croyez pas que j'ai le rôle le plus difficile, au contraire! Rien ne me stimule autant que l'action. C'est mon métier. Et puis... inutile de discuter plus longtemps. Vous savez très bien que j'ai raison. Restez à l'abri derrière ces cocotiers. Il en reste encore quelques-uns debout! Et si vous connaissez une prière par cœur, c'est le moment d'en profiter!

Avant que Russel ait pu le retenir, Serge s'était élancé.

— A-t-il une chance de réussir? questionna anxieusement Maria, serrée contre son mari.

— Peut-être.

Russel souffrait de devoir rester inactif, mais il savait, au fond de lui-même, que l'autre avait raison. Ils ne pouvaient pas risquer leur vie tous les deux. Serge, plus entraîné, avait un avantage.

Silencieux, ils assistaient au difficile exploit. Des vagues sournoises bosselaient la surface glauque de l'eau.

Heureusement, la tempête s'éloignait, définitivement cette fois. C'était la dernière convulsion, le dernier soubresaut du terrible cyclone.

— Il l'a atteint! dit Maria, frémissante.

Là-bas, une forme s'était hissée sur le bateau, s'agitait, minuscule comme une fourmi.

— Pourquoi ne revient-il pas?

— Il doit écoper l'eau au fond du bateau.

Enfin, après une attente qui leur parut un siècle, le canot se rapprocha du rivage.

— Pourrons-nous atteindre Nossi-Bé?

— Je l'espère, Maria. Heureusement, la mer s'est calmée.

— Le voilà!

Le bateau avait foncé vers la plage. Ils virent Serge en descendre, tirer sur l'amarre, leur faire un signe joyeux, puis courir vers eux en agitant les bras.

— Il a du vif argent dans les veines! soupira Russel d'un ton indulgent. Quelle nature ce garçon!... Venez, Maria...

Serge était parvenu à leur hauteur. Tous trois se dirigèrent vers le bateau sauveur. Soudain, un sinistre craquement retentit. Avant qu'ils aient pu réaliser le danger, un grand arbre, miné par la fureur du vent, avait vacillé sur sa base et s'effondrait. Instinctivement,

Thomas rejeta Maria de côté. Mais Serge n'eut pas le temps de s'écarter. Cognée géante, l'arbre s'abattit sur lui.

D'un même mouvement, ses deux compagnons se précipitèrent.

— Margane, mon vieux, vous m'entendez?

Serge ouvrit les yeux. Ses traits tirés exprimaient une indicible souffrance. Mais, comme Béatrice, il restait courageux.

— Pas de veine, haleta-t-il. Ma fameuse baraka vient de me quitter, je crois bien. Pour moi, c'est raté maintenant. Partez, Russel, avec Maria... Bonne chance à tous les deux.

— Ne parlez pas tant! Je vais vous tirer de là.

— Non, je ne respire plus qu'avec peine... C'est fichu, je le sens.

Un faible sourire :

— Digne fin pour un cascadeur, ne me plaignez pas trop.

— Quand donc cesserez-vous de dire des sottises!

Un gémissement de douleur. Serge se mordit les lèvres.

— Ce tronc qui m'étouffe! Je souffre, Russel...

L'arbre lui avait écrasé le torse. Un peu d'écume sanglante moussait à la commissure de ses lèvres.

— Ça me broie... Je me fiche de mourir, mais cette souffrance...

Incapable de supporter plus longtemps ce spectacle, près de perdre connaissance, Maria s'était légèrement éloignée.

Russel n'hésita pas.

— A mon tour de jouer les Jean Valjean! Tenez bon, mon vieux!

Il empoigna le tronc du cocotier, tira de toutes ses forces. La sueur ruisselait sur son visage, donnant aux muscles tendus un étonnant relief. Le torse nu sous la chemise déchirée, haletant, les cheveux emmêlés, qui aurait reconnu l'homme d'affaires, l'industriel aux costumes sévères, à l'allure stricte, à la physionomie compassée?

De loin, malgré son angoisse, Maria ne pouvait s'empêcher de l'admirer. Il incarnait, en cet instant, un héros de légende aux prises avec un travail de titan.

Russel était doué d'une certaine vigueur. Au bout de quelques minutes d'efforts, il parvint à faire glisser le tronc de quelques centimètres. Puis à délivrer son compagnon de l'étau qui le broyait.

Un sourire du blessé fut sa récompense.

— Merci, Russel. Je ne souffre presque plus... Il sera dit que vous aurez toujours le dernier mot... trop de générosité vous perdra...

— Taisez-vous, incorrigible bavard! Nous allons vous porter jusqu'au bateau.

— Pas la peine... Je serais un encombrant fardeau. Je vais mourir.

— Non, vous vivrez!

Une étincelle anima les yeux verts.

— Ne me plaignez pas. J'ai une fin d'un cascadeur. Je n'aurais pas voulu crever dans un lit, comme tout le monde! C'est bien ainsi... Maintenant, je voulais vous dire...

Il eut une espèce de hoquet, ses yeux se ternirent.

— Ne vous agitez pas...

Thomas Russel, déchiré, assistait à la mort d'un homme sans pouvoir le secourir. Si seulement Béatrice avait été là...

Mais le Dr Vernier, de son côté, luttait contre la mort...

— Russel... pour votre femme, tout à l'heure... je vous jure, sur ma part de purgatoire, qu'elle était innocente... je... la faisais chanter... j'ai senti sa répulsion... elle vous aime, Russel... permettez-moi de lui dire adieu...

Ce fut Thomas qui alla chercher la jeune femme, la poussa vers le moribond, s'écarta discrètement.

Serge n'avait même plus la force de parler... Un murmure presque inaudible sortait de ses lèvres.

— Approchez, Maria... dans ma poche... prenez... la lettre d'Olga... vous la déchirerez vous-même... je vous la donne... sans condition...

Les traits du blessé se détendirent. Un voile paisible descendit sur sa figure.

— Tchao, Maria... capable du meilleur comme du pire... j'aurais pu vous aimer... soyez heureuse avec Russel... il le mérite...

Ses traits se figèrent. Un sourire continuait, ironique et tendre, à flotter sur les lèvres immobiles.

— Thomas!

Il accourut à son appel.

— C'est fini, Maria. Il est mort comme il l'a souhaité. Ne pleurez pas...

Brisée, elle sanglota nerveusement sur son épaule, pendant qu'il lui caressait les cheveux.

— Maintenant, venez, Maria.

Après un dernier regard à leur malheureux compagnon, ils prirent place dans le canot. Russel exécuta les manœuvres nécessaires et le petit bateau s'élança vers le large.

***

Le jour était venu... Une aube livide qui envahissait le ciel. A peine bleuis, quelques nuages conservaient comme des traces de sang, qui s'égouttaient sur la mer...

— Arriverons-nous bientôt, Thomas?

Grelottante, réfugiée au fond du bateau, Maria implorait son mari d'une voix angoissée.

Préoccupé, il ne répondit pas. La côte était encore lointaine. Il n'en discernait pas les contours. Ce frêle bateau ne représentait qu'une solution de secours. Il

n'avait pas vraiment envisagé de s'en servir. Il n'était
pas équipé pour une longue traversée, surtout dans ces
conditions. Ils étaient partis si hâtivement...

A la rigueur, si le temps restait stable, il y avait une
chance de s'en sortir. Mais ils manquaient de tout : de
vivres, de boussole, de vêtements chauds. D'essence
peut-être.

Maria le regardait intensément et ce regard, magné-
tiquement, attira le sien.

Longuement ils se contemplèrent... Les cheveux
mouillés de la jeune femme battaient ses épaules nues,
sous le corsage déchiré. De la terre souillait ses mains,
son visage. Quant à lui, il n'était guère mieux partagé.
L'amorce d'une barbe sombre envahissait son menton et
ses joues. Son regard luisait fiévreusement dans sa figure
burinée de fatigue. Un pan de chemise en lambeaux
découvrait sa poitrine. On eût dit un corsaire. Ses mains
écorchées s'infectaient, le faisaient souffrir. Tous deux
ressemblaient à des naufragés.

Pourtant, à travers les épreuves, malgré le souvenir de
cette affreuse nuit, la mort de leur compagnon, les
souffrances endurées et peut-être à subir, malgré tout ce
qui les avait opposés, une sensation neuve, paisible, les
consolait de tout et les aiderait à tout supporter.

Sur cette mer nue, sous ce ciel vide, ils étaient
vraiment seuls au monde...

Plus rien ne les séparait de ce qui les avait si
farouchement dressés l'un contre l'autre. La beauté ni la
fortune n'avaient plus de pouvoir.

La vérité était tangible comme un bonheur que la
main peut enfin atteindre...

— Je vous aime, Thomas... Me croyez-vous ?

— Moi, je n'ai jamais cessé de vous aimer...

Cependant, une dernière ombre subsistait. Tout à
l'heure, il avait vu Serge remettre un papier à la jeune
femme. Maria l'avait prestement glissé dans la petite
poche de sa jupe.

— Maria, quel est ce papier donné par Serge?

Elle se troubla.

— Rien de très important.

— Mais encore?

Le duel ne serait-il jamais fini entre eux?

— Qu'était-ce? insista-t-il.

— Une lettre...

— Montrez-la-moi.

Comme il aurait été facile de se justifier... C'était l'ultime obstacle qui la séparait encore de lui.

Pourtant, elle savait qu'elle aimerait mieux le perdre que de lui infliger cette atroce désillusion.

Elle pensait à Armelle, cette petite fille qu'elle avait à peine regardée, qui ne l'attirait pas... Mûrie par l'épreuve, à présent, elle ressentait une infinie pitié, proche de la tendresse, pour cette enfant sans mère qu'il ne dépendait que d'elle de rendre définitivement orpheline.

Ce n'était pas seulement Thomas qui était en cause. C'était l'avenir d'une petite fille innocente.

— Thomas, dit-elle avec une douceur un peu triste, l'heure de vérité est venue... Nous sommes seuls au monde, face à face, et je devine le danger qui nous menace et que vous vous évertuez à me cacher. A moins d'un miracle, nous sommes perdus... Pourquoi vous mentirais-je? Pourquoi vous jouerais-je encore la comédie? Les valeurs matérielles n'ont plus aucune importance. Nos âmes sont à nu. Je vous aime, et maintenant je pense mériter votre amour.

Elle tira la lettre de sa poche. Dans l'affolement du départ, elle avait oublié de la détruire. Elle ne pensait pas que Thomas avait vu son geste.

— Voici ce papier, Thomas, continua-t-elle en le lui tendant. Cette lettre a été écrite par votre femme et adressée à Serge Margane. Certains mots peuvent vous faire souffrir. Détruisons-la.

— Pourquoi vous l'a-t-il remise, à vous et non à moi?

La méfiance persistait et elle comprit qu'il ne céderait pas.

— Il me l'a remise pour que je la déchire, en un geste qui l'absout. Une femme comprend davantage ce sentiment qu'un homme.

— Vous pouvez sans crainte me la faire lire. Même de cette façon, Olga ne peut plus me faire de mal. Je n'éprouve aucune jalousie posthume. Cette femme n'a plus le pouvoir de me faire souffrir, quoi qu'elle ait écrit. C'est vous qui avez ce triste privilège, Maria...

— Je ne vous ferai plus jamais souffrir, Thomas...

Elle avait figé son geste. La lettre était entre eux.

— Prenez cette lettre et déchirez-la vous-même. Que ce soit une dernière preuve de confiance. Ces mots inutiles et venimeux nous feraient du mal à tous deux. Soyons généreux. Ce sera une sorte d'absolution, à laquelle je participerai...

C'était un geste de joueuse. Mais c'était la seule façon de dissiper les doutes de Thomas, dont la passion intransigeante ne se serait pas contentée d'une demi-mesure.

Sans la quitter des yeux, il prit la lettre. Puis, après quelques secondes d'hésitation, lentement, il la déchira.

Les morceaux s'éparpillèrent dans la mer...

CHAPITRE X

Le soleil, depuis longtemps, avait basculé derrière l'horizon. Le crépuscule envahissait l'Océan. Dans le ciel bas, pesant comme un couvercle, des nuées sombres s'accumulaient.

Depuis quand voguaient-ils?

Inutile de se le dissimuler plus longtemps. Ils étaient perdus, livrés au caprice des éléments, de ces nuages menaçants prêts à fondre sur eux comme sur la seule proie visible dans cet univers sans contours.

— Nous sommes perdus, n'est-ce pas, Thomas?

— Non, Maria.

— Ne devons-nous pas toujours nous dire la vérité?

Il l'enlaça, caressa doucement ses épaules meurtries.

— Peut-être allons-nous mourir, Thomas...

— Non! non! protesta-t-il avec la violence du désespoir, nous ne mourrons pas! Je vous sauverai!

Elle roula sa tête sur la poitrine dénudée.

— Qu'importe, mon amour, si nous mourons ensemble...

Depuis la nuit sauvage, il ne l'avait plus touchée. Il y avait eu cette tentation, sur la plage, la nuit du cataclysme.

En refermant les mains sur la chevelure dorée, il eut un éblouissement. Soudain, il oublia leur sort précaire, tout ce qui n'était pas son amour.

Perdus dans l'immensité sans limites, dans ce paysage désertique, ils restaient enlacés, chacun ne pensant qu'à l'autre, réfugiés dans ce monde intemporel des amoureux où plus rien n'a d'importance.

Elle tomba comme une fleur coupée... Le baiser de Thomas s'appuya sur sa bouche, descendit jusqu'à son cœur. Et elle s'abandonna, frémissante, aux caresses ardentes dont il la couvrait toute. Le passé n'était plus qu'un mot sans signification. Leur amour était neuf. Désormais, elle lui appartenait, et cette phrase, qu'elle avait vaguement entendue, d'un air ennuyé, dans les vapeurs d'encens, prenait en cette seconde tout son sens profond : « ... pour le meilleur et pour le pire... »

[*]

La nuit tomba. Le morne reflet des étoiles effleurait l'eau creusée d'ombre. Le petit bateau flottait au gré des alizés.

Épuisée, Maria était plongée dans une miséricordieuse somnolence, coupée de réveils brusques.

— Tom, êtes-vous là?

— Je suis là, mon amour. Ne craignez rien.

— Plus rien ne nous sépare? Plus rien ne nous séparera jamais?

— Plus rien, ma chérie, je vous le jure. Ayez confiance...

Confiance! un mot dont il réapprenait le sens. Pourtant, le mot éveillait dans son esprit un malaise presque indiscernable, qui persistait malgré tout. Il revoyait la lettre tendue par la jeune femme, les morceaux de papier se perdant dans la mer...

Que contenait vraiment cette lettre? Quel secret s'était englouti pour toujours? Le doute le reprenait. A la réflexion, l'explication lui semblait boiteuse, incomplète. Pourquoi Serge attachait-il tant d'importance à une ancienne lettre d'amour de sa maîtresse? Pensait-il vraiment que sa lecture pût blesser Russel? Et puis il rattachait ce papier à l'attitude de Maria, quand il l'avait surprise entre les bras de Serge. Que Serge ait voulu le tuer? C'était un enfantin moyen de chantage... Non, il y avait autre chose, un motif important. Maria lui avait menti, en plein accord avec Serge...

Penché sur la jeune femme endormie, il épiait le ravissant visage que la fatigue et les privations n'arrivaient pas à enlaidir. Que lui cachait-elle? Qu'y avait-il eu entre eux? Son amour exigeant le rendait jaloux. Tant que subsisterait ce doute, il ne pourrait jamais être complètement heureux. La conduite de Maria, au début, l'avait sensibilisé.

Le bateau dérivait toujours, livré au caprice du hasard. La soif desséchait leurs bouches. Ils n'avaient plus d'essence, rien à manger. Leurs minces chemises de toile déchirées ne les protégeaient ni du soleil cuisant ni du froid nocturne.

Maria délirait dans son rêve :

— Thomas... Béatrice... le cyclone...

Soudain, il tressaillit.

— Non, Serge, il ne faut pas!

Il aurait voulu ne pas entendre et cependant buvait avidement les mots qui allaient peut-être lui révéler enfin la vérité.

— Il ne faut pas que Thomas sache, jamais!

Déchiré, il écoutait. Qu'allait-il apprendre de si cruel, qui les séparerait pour toujours?

— La lettre... je la veux... donnez-moi cette lettre, Serge... oui, tout ce que vous voudrez, pourvu qu'il ne la lise pas... Armelle...

Le nom le tira de sa douloureuse songerie. Que venait faire sa fille dans cette histoire?

— Je la protégerai contre vous... même au prix de mon amour... Thomas ne doit jamais se douter... qu'Armelle n'est pas sa fille... je préférerais perdre son estime... le perdre... et pourtant je l'aime...

La révélation plongea Thomas Russel dans un curieux état d'esprit, où le bonheur dominait.

Ainsi, c'était cela, l'ignoble moyen de chantage! Il comprenait l'attitude de la jeune femme à présent. Son sacrifice lui emplit l'âme d'une tendre admiration. C'était la plus touchante des preuves d'amour.

Quant à l'enfant... N'avait-il pas toujours eu un doute au plus profond de lui-même? La liaison d'Olga datait de cette époque. Et Armelle, qui n'avait aucun trait de ressemblance avec lui...

Oui, combien de fois ne s'était-il pas posé la question? Toujours il refusait de répondre, car il avait peur de la vérité. A présent, tout était clair. Il ne souffrait même pas.

Si Armelle n'était pas de son sang, qu'importait! Il continuerait à l'aimer dans l'avenir comme par le passé.

Le père, c'est celui qui élève son enfant, qui s'en occupe, se penche sur ses maladies, s'inquiète...

Une innocente ne devait pas payer la faute d'une autre. Et puis, le doute jouait peut-être en sa faveur?... Quoi qu'il en soit, c'était mieux ainsi. Il avait craint de frustrer Maria aux dépens de sa fille, et réciproquement. A présent, ils étaient à égalité. L'enfant lui appartiendrait autant qu'à lui.

Fou qu'il était de faire des projets... Il ne s'illusionnait pas. A moins d'un miracle. ils étaient condamnés...

***

Un nouveau matin se leva, puis un autre crépuscule s'abattit sur la mer. Ballotté, le canot n'était plus qu'un point minuscule, tranchant sur le bleu intense de l'Océan, comme une mouette. Au fond, un couple enlacé qui paraissait dormir. Mort peut-être? Un air de bonheur flottait sur leur visage.

Le ciel se soudait à la mer par le trait d'un horizon brumeux. Le troisième jour commençait...

Soudain, dans le ciel vide, apparut un étrange oiseau qui s'immobilisa au-dessus du petit bateau. Cet oiseau avait un corps oblong, des ailes vibrantes comme celles d'une libellule. Il parlait.

— Ce sont eux! Vite, déroulez le câble!

CHAPITRE XI

Dans l'avion qui les ramenait vers Paris, un couple était tendrement rapproché.

L'homme déplia le journal. En première page, un titre s'étalait : « Ketty, le plus grand cyclone enregistré jusqu'à ce jour, a presque entièrement ravagé la petite île de Nossi-Mango, où Thomas Russel, l'industriel bien connu, et sa jeune femme passaient une originale lune de miel... »

Thomas regarda sa compagne. Leurs yeux, pleins de lumière, reflétaient les souvenirs.

— Quelle terrible épreuve, Tom !...

— Oui, ma chérie. Heureusement, notre amie Béatrice a été sauvée.

— Serge est la seule victime...

Il lui prit la main, la porta tendrement à ses lèvres.

— Je lui ai pardonné, Maria. Comme il le disait lui-même, il est mort en cascadeur. C'était une tête brûlée, un aventurier, avec au fond du cœur, en réserve, de bons sentiments.

En un geste de soumission, la jeune femme laissa tomber sa jolie tête sur l'épaule de son mari.

— M'aimez-vous comme je vous aime ?

Il sourit.

— Certainement beaucoup plus, car j'ai de l'avance.

— Je rattraperai mon retard !

Un instant après, elle questionna, avec une certaine
timidité :

— Et Patrick? Lui avez-vous pardonné, à lui aussi?

Il éclata de rire.

— Un vrai gosse! Peut-on lui en vouloir? Je lui ai fait
une de ces peurs! J'espère le revoir bientôt... pour le
rassurer.

Le Boeing voguait dans la lumière. Au-dessous, dans
l'échancrure des nuages, on apercevait la mosaïque du
paysage.

Une hôtesse et un steward circulèrent dans la travée.

— Du champagne, ma chérie?

Le temps faisait un pas en arrière. L'histoire semblait
recommencer. Nossi-Mango disparaissait dans la brume
du rêve... Une complicité amusée se glissait entre eux.
Au fond, dans cette rude partie d'échecs, ils avaient
gagné tous les deux...

Heureux, détendu, rajeuni par le bonheur, Thomas
portait un costume clair. Ses yeux gris étaient gais.

— Tu me laisseras choisir tes cravates, dit Maria en
souriant.

— Étaient-elles donc si laides avant?

L'hôtesse disposa les plateaux. Soudain, Maria pâlit
et porta un mouchoir à sa bouche. Prompt à s'inquiéter,
il se pencha vers elle avec sollicitude.

— Qu'as-tu, chérie?

— Ce n'est rien, une nausée.

— Serait-ce l'avion? Pourtant, tu l'avais bien sup-
porté en venant...

— Non, dit-elle. Ce n'est pas l'avion...

Brusquement, la vérité venait de lui apparaître. Ce
n'était pas la première fois qu'elle ressentait ces
malaises. Déjà, sur l'île... Elle les avait imputés au
climat. Mais à présent, elle était certaine...

Un sourire monta à ses yeux, comme une buée.
Brillant de joie, son visage était révélateur.

Thomas, qui l'observait avec inquiétude, balbutia :

— Tu ne veux pas dire...?

Leurs regards se mêlèrent. Dans celui de Thomas, un eu de honte subsistait. Il se rappelait sa brutale ossession, la première nuit dans l'île. De cette étreinte, tait-ce possible...

— Si c'est une fille, dit tendrement Maria, nous 'appellerons Ketty...

Dans la même collection :

ACHEVÉ D'IMPRIMER LE
3 AVRIL 1979 SUR LES
PRESSES DE L'IMPRIMERIE
BUSSIÈRE, SAINT-AMAND (CHER)

N° d'éditeur : 68.
N° d'imprimeur : 368.
ISBN : 2-235-00682-5
ISSN : 0153-8675.
Dépôt légal : 2e trimestre 1979.